Catherine Quévremont

stylisme de Sandra Mahut
photographies de David Japy

cuisine de Provence

MARABOUT

soupes, salades et petites entrées

Tapenade

POUR TARTINER ENVIRON 40 TRANCHES DE BAGUETTE GRILLÉES / PRÉPARATION : 20 MIN

250 g d'olives noires
50 g de câpres
10 filets d'anchois au sel
10 c. à soupe d'huile d'olive
jus d'1/2 citron
poivre noir

Dénoyautez les olives. Rincez et égouttez les filets d'anchois. Égouttez les câpres.
Dans le bol d'un mixeur, déposez la pulpe d'olives noires, les câpres, les anchois, le jus de citron et le poivre. Mixez en versant régulièrement l'huile d'olive.
Cette sauce peut se conserver 2 mois au réfrigérateur. À cet effet, versez-la dans un bocal et recouvrez-la d'un mince film d'huile d'olive.

Tapenade verte

POUR TARTINER ENVIRON 40 TRANCHES DE BAGUETTE GRILLÉES / PRÉPARATION : 20 MIN

250 g d'olives vertes
100 g d'amandes mondées
2 c. à soupe de câpres
6 filets d'anchois
8 c. à soupe d'huile d'olive
poivre

Dénoyautez les olives. Rincez les filets d'anchois.
Dans le bol d'un mixeur, déposez la pulpe d'olives vertes, les amandes, les câpres, les filets d'anchois, le poivre. Mixez finement en versant régulièrement l'huile d'olive.

VARIANTE
Tapenade vient du mot provençal tapeno, qui signifie « câpre ». On peut donc imaginer d'autres variantes de tapenade, pourvu qu'elles contiennent des câpres. Par exemple, si l'on remplace les olives par des tomates séchées ou marinées à l'huile et à l'ail, on obtient une tapenade rouge, délicieuse.

Tapenade à l'aubergine

POUR TARTINER ENVIRON 40 TRANCHES DE BAGUETTE GRILLÉES / PRÉPARATION : 10 MIN/ CUISSON : 30 MIN

250 g d'olives noires
50 g de câpres
10 filets d'anchois
1 petite aubergine
10 c. à soupe d'huile d'olive
jus d'1/2 citron
poivre

Faites cuire au four l'aubergine, coupée en deux dans le sens de la longueur, à 180 °C (thermostat 6), pendant 30 minutes. Détachez la pulpe à l'aide d'une cuillère. Dans le bol d'un mixeur, mettez les olives dénoyautées, la pulpe d'aubergine, les câpres, les filets d'anchois rincés, le jus de citron et le poivre. Mixez finement en versant régulièrement l'huile d'olive.

staub

Caviar d'aubergines

POUR 500 g DE CAVIAR / PRÉPARATION : 15 MIN / CUISSON 1 H

3 belles aubergines
4 gousses d'ail
1 bouquet de basilic
quelques graines de cumin
1/2 c. à café de paprika
4 c. à soupe d'huile d'olive
sel, poivre

Coupez les pédoncules des aubergines, mais laissez-les entières. Mettez-les à cuire au four à 180 °C (thermostat 6). Retournez-les régulièrement. Elles vont noircir, et seront cuites lorsqu'elles paraîtront molles sous leur peau (selon la puissance de votre four, cela peut prendre entre 45 minutes et 1 heure).
Ouvrez les aubergines en deux, à l'aide d'une cuillère prélevez la chair de l'intérieur.
Mettez la chair d'aubergine dans le bol du mixeur, avec les graines de cumin, l'ail pelé, le paprika, salez et poivrez. Pendant que le mixeur tourne versez l'huile d'olive en filet.
Réservez ce caviar d'aubergine au frais. Il se sert à l'apéritif ou vient enrichir les sauces, comme le fait la tapenade.

Anchoïade

POUR 1 BOL DE SAUCE / PRÉPARATION : 30 MIN

10 anchois au sel ou 20 filets à l'huile
3 gousses d'ail
1/2 bouquet de persil plat
8 c. à soupe d'huile d'olive
jus d'1/2 citron
poivre du moulin

Si les anchois sont au sel (les meilleurs), rincez-les sous un filet d'eau tiède. Ouvrez-les, retirez l'intérieur et laissez tremper durant 15 minutes. S'ils sont à l'huile, égouttez-les simplement.
Lavez le persil, coupez les tiges à 3 cm des feuilles.
Épluchez l'ail, passez-le au presse-ail.
Dans le bol d'un mixeur, mettez les filets d'anchois, le jus de citron, l'ail, le persil, l'huile d'olive, le poivre et mixez.

CONSEILS
On pourra mixer plus ou moins finement selon la consistance voulue.
Si l'anchoïade doit être étalée sur des tranches de pain, ne pas trop mixer ; si on l'utilise pour un deep avec des légumes crus, on pourra mixer finement.
Cette sauce accompagne à merveille un filet de bœuf. On peut aussi en tartiner de fines tranches de rôti de veau froid.

Crostini aux anchois

POUR 4 PERSONNES / PRÉPARATION : 35 MIN

12 tranches de baguette de campagne
4 grosses tomates très fermes
6 anchois en saumure
1/2 bouquet de coriandre
2 c. à soupe de câpres
sel, poivre du moulin

On peut utiliser, pour cette recette, soit des filets d'anchois frais marinés, soit des anchois en saumure.
Rincez les anchois, ouvrez-les en deux, nettoyez-les et laissez-les tremper dans de l'eau tiède le temps de préparer les tomates.
Plongez celles-ci 1 minute dans de l'eau bouillante. Retirez la peau, les pépins et coupez la chair en très petits dés, salez légèrement.
Égouttez les filets d'anchois, coupez-les finement.
Mélangez anchois, dés de tomates, câpres et coriandre ciselée. Poivrez.
Juste avant de servir, faites griller les tranches de pain et tartinez-les avec la préparation.
Ces crostini se dégustent aussi bien à l'apéritif qu'en pique-nique.

Anchois marinés

POUR 4 PERSONNES / PRÉPARATION : 20 MIN + 4 H DE REPOS

12 anchois frais
2 gousses d'ail
1 bouquet de coriandre
4 c. à soupe d'huile d'olive
jus d'1 citron vert
fleur de sel et poivre du moulin

Frottez doucement les anchois avec du papier absorbant pour détacher les écailles. Ouvrez-les en deux, ôtez l'intérieur et la tête. Laissez les petites arêtes, elles fondront dans le sel.
Rangez les filets dans un plat creux, arrosez du jus du citron vert (plus subtil que le citron jaune), parsemez de fleur de sel. Placez au frais pour 4 heures.
Épluchez l'ail, émincez-le. Lavez la coriandre et ciselez ses feuilles.
Avant de passer à table, retirez les anchois de la marinade.
Disposez 6 filets par assiette, arrosez d'huile d'olive, poivrez, parsemez-les d'ail, de coriandre.
Servez avec du pain de campagne toasté et, pourquoi pas, quelques poivrons grillés.

Gougères aux tomates et aux anchois

POUR 50 PETITES GOUGÈRES / PRÉPARATION : 1 H / CUISSON : 35 MIN

300 g de farine
10 œufs
200 g de beurre
30 cl d'eau
15 filets d'anchois à l'huile
5 tomates séchées
sel, poivre

Coupez le beurre en morceaux, faites-le fondre à feu doux avec l'eau dans une casserole. Salez très légèrement ou pas du tout (les anchois apporteront le goût salé).
Lorsqu'un petit bouillonnement apparaît, versez la farine en pluie en remuant avec une spatule en bois. Laissez la casserole sur le feu, sans cesser de tourner, jusqu'à ce que la pâte forme une boule et se décolle des parois de la casserole.
Hors du feu, incorporez les œufs, un à un, en mélangeant vigoureusement avec la spatule. N'ajoutez un nouvel œuf que lorsque le précédent a été bien intégré.
Égouttez les filets d'anchois, mixez-les avec les tomates.
Ajoutez cette préparation à la pâte des gougères, malaxez bien.
Préchauffez le four à 210 °C (thermostat 7). Posez une feuille de papier sulfurisé sur la plaque du four. À l'aide d'une poche à douille ou de 2 petites cuillères, façonnez de petites boules de pâte, espacées de 3 à 4 cm. Enfournez et laissez cuire 20 minutes.

Allumettes aux anchois

POUR 20 ALLUMETTES / PRÉPARATION : 40 MIN / CUISSON : 20 MIN

20 filets d'anchois à l'huile
2 c. à soupe de câpres
2 c. à soupe de persil ciselé
1 jaune d'œuf
1 rouleau de pâte feuilletée
poivre du moulin

Dans le bol d'un mixeur, déposez les filets d'anchois, les câpres et le persil. Mixez, goûtez et poivrez.
Préchauffez le four à 210 °C (thermostat 7).
Étalez la pâte feuilletée, coupez, en nombre pair, des rectangles de 2 à 3 cm de large et 6 cm le long.
Tartinez la moitié des rectangles de pâte de préparation à base d'anchois puis recouvrez avec l'autre moitié en appuyant un peu.
Battez le jaune d'œuf avec quelques gouttes d'eau et, à l'aide d'un pinceau, badigeonnez-en le dessus de chaque allumette.
Posez une feuille de papier cuisson sur la plaque du four, disposez dessus les allumettes. Enfournez et laissez cuire entre 15 et 20 minutes.

Panisses

POUR UNE VINGTAINE DE PIÈCES / PRÉPARATION : 10 MIN + 1 NUIT DE REPOS /
CUISSON : 10 MIN + 15 MIN POUR LA FRITURE

250 g de farine de pois chiche
1 l d'eau
1 c. à soupe d'huile d'olive
30 cl d'huile d'arachide pour la friture
gros sel

Dans une grande casserole, versez l'eau, l'huile d'olive, le sel, portez à ébullition. Versez la farine en pluie et tournez avec un fouet. Le moment est délicat, car il ne doit pas y avoir de grumeau. Lorsque la bouillie s'épaissit, continuez de tourner, mais cette fois avec une cuillère en bois. Laissez cuire 10 minutes.
Huilez soit un moule à cake, soit des petits moules à tartelettes, que vous garnissez de bouillie. Ou bien encore étalez-en une couche épaisse de 2 cm sur une plaque de cuisson.
Laissez reposer une nuit. Le lendemain formez les panisses : coupez la bouillie séchée en tranches ou en bâtonnets de 2 cm de large, ou démoulez les moules à tartelettes.
Faites chauffer la friture, plongez-y les panisses, faites-les rissoler.

CONSEILS
Les panisses se mangent à l'apéritif, avec du caviar d'aubergine ou du guacamole. En bâtonnets, elles s'utilisent comme des biscuits salés, à servir avec un sorbet ou un granité à la tomate. Les panisses deviennent « tapas » si on les garnit de filets de sardines ou d'anchois frais, marinés. Enfin, pour les servir « comme à Marseille », accompagnez-les de fines tranches de poutargue (œufs de mulet, pressés et salés).

Soupe au pistou

POUR 6 À 8 PERSONNES/ PRÉPARATION : 45 MIN / CUISSON : 2 H

2 épaisses tranches de jambon de pays
1 morceau de couenne de porc (300 g environ)
500 g de haricots coco blancs
500 g de haricots coco rouges
500 g de haricots verts larges (ou de mange-tout)
1 branche de céleri
3 tomates
3 courgettes
8 pommes de terre moyennes
150 g de grosses coquillettes
1 c. à café de gros sel

POUR LE PISTOU
6 gousses d'ail ; 1 bouquet de basilic ; 3 tomates pelées ; 100 g de parmesan râpé ; 10 c. à soupe d'huile d'olive ; sel , poivre du moulin

Versez 4 litres d'eau froide dans une grande marmite. Coupez le jambon en larges lanières, mettez-le dans l'eau avec la couenne de porc et portez à ébullition. Maintenez à petits bouillons pendant 30 minutes en écumant.
Pendant ce temps, écossez les haricots rouges et blancs. Équeutez les haricots verts, coupez-les en quatre. Épluchez les pommes de terre, coupez les extrémités des courgettes, ébouillantez et pelez les tomates. Versez tous les légumes dans le bouillon : les divers haricots, les pommes de terre et les courgettes entières, la branche de céleri coupée en deux, les tomates coupées en quatre. Ajoutez le gros sel. Laissez bouillir pendant 1 heure.
Pour préparer le pistou, mixez les feuilles de basilic avec la pulpe des tomates pelées, le parmesan, l'ail épluché, sel et poivre du moulin tout en versant régulièrement l'huile d'olive, jusqu'à obtenir une pâte molle.
Retirez la couenne du bouillon. Retirez et écrasez à la fourchette les pommes de terre et les courgettes, puis remettez-les dans la soupe. Ajoutez les pâtes et laissez cuire encore 10 minutes. Servez et ajoutez 1 c. à café de pistou (qui ne doit cuire en aucun cas) – ou plus selon le goût…)

Soupe d'épeautre

POUR 6 PERSONNES / PRÉPARATION : 30 MIN + 2 H / CUISSON : 1 H30

300 g d'épeautre
2 poireaux
4 carottes
1 botte d'oignons blancs
300 g de haricots blancs
2 saucisses de couenne (ou 3 saucisses de Toulouse)
1 bouquet garni
5 feuilles de sauge
5 brins de romarin
1 clou de girofle
huile d'olive
sel, poivre

Faites tremper l'épeautre dans de l'eau froide. Épluchez les légumes, écossez les haricots blancs. Faites chauffer une grande quantité d'eau salée. Plongez-y les légumes coupés, les saucisses piquées, le bouquet garni, la sauge et le romarin émiettés, le clou de girofle et l'épeautre. Laissez cuire pendant 1 heure 30, en surveillant que l'eau ne vienne pas à manquer (l'épeautre gonfle beaucoup). Au moment de servir, coupez les saucisses en tronçons et arrosez d'un trait d'huile d'olive et poivrez.

Soupe de favouilles

POUR 6 PERSONNES / PRÉPARATION : 30 MIN / CUISSON : 1 H

2 douzaines d'étrilles
2 oignons
2 poireaux
3 tomates
6 gousses d'ail
1 branche de céleri
1 c. à soupe de concentré de tomates
1/2 bouquet de persil plat
1/2 bouquet de coriandre
2 feuilles de laurier
2 branches de thym
2 pointes de couteau de safran
8 c. à soupe d'huile d'olive
50 g de riz de Camargue
100 g de gruyère râpé
gros sel, poivre noir

Rincez les étrilles (favouilles). Épluchez ail, oignons et poireaux. Dans un grand faitout, versez l'huile d'olive. Faites revenir les oignons et les poireaux émincés. Jetez dessus les étrilles, remuez bien pour que toutes rougissent. Ajoutez l'ail écrasé, le persil et la coriandre ciselés, les tomates grossièrement coupées, le thym, le laurier. Mélangez. Assaisonnez avec le gros sel, le poivre noir du moulin et le concentré de tomates. À l'aide d'une cuillère en bois, appuyez sur les étrilles pour commencer à les concasser. Versez 3 litres d'eau et laissez cuire 30 minutes. Après cuisson, passez la soupe au moulin à légumes, puis au chinois pour éliminer tous les petits morceaux de carapace. Versez la soupe dans une casserole et remettez sur le feu. Parfumez avec le safran, ajoutez le riz et laissez jusqu'à ce qu'il soit cuit (10 à 15 minutes). Servez en soupière et accompagnez de gruyère râpé.

Soupe de moules

POUR 6 PERSONNES/ PRÉPARATION : 35 MIN / CUISSON : 1 H

1 kg de moules
1 verre de vin blanc
2 oignons
2 poireaux
4 tomates
4 gousses d'ail
1 branche de céleri
thym, laurier, persil
4 c. à soupe d'huile d'olive
100 g de spaghettis

Nettoyez les moules. Versez-les dans un grand faitout avec le vin blanc. Portez sur le feu, remuez en secouant le faitout et arrêtez la cuisson dès que les moules sont ouvertes. Décoquillez-les alors. Récupérez le jus de cuisson en le filtrant à travers un linge.
Dans le faitout, versez l'huile d'olive. Faites revenir oignons et poireaux émincés, les tomates concassées, l'ail écrasé, le céleri en petits dés. Ajoutez le thym, le laurier et le persil. Mouillez avec le jus des moules, puis versez 1,5 litre d'eau et faites bouillir 15 minutes. Retirez ensuite le thym et le laurier, avant de mixer le bouillon à l'aide d'un robot plongeant. Versez alors les spaghettis et laissez-les cuire pendant 10 minutes.
Ajoutez les moules dans la soupe, vérifiez l'assaisonnement.

Escargots en matelote

POUR 6 PERSONNES/ PRÉPARATION : 45 MIN / CUISSON : 40 MIN

6 douzaines d'escargots
100 g de tomates marinées à l'huile
12 petits oignons blancs
4 échalotes
250 g de champignons de Paris
25 cl de vin blanc
10 cl de vinaigre de vin
150 g de lardons de poitrine fumée
thym, laurier, romarin
1 bouquet de persil
25 cl de coulis de tomates (facultatif)
4 c. à soupe d'huile d'olive
sel, poivre

Prenez des escargots dits « de Bourgogne », en conserve (la préparation des escargots frais est trop longue), égouttez-les et rincez-les.
Déposez les lardons dans une cocotte, faites-les fondre à feu doux pour qu'ils rendent leur graisse, que vous jetez.
Lavez les champignons, coupez leur pied terreux, tranchez-les en lamelles. Faites-les sauter avec les lardons et les tomates marinées coupées en fines tranches, parsemez de thym, laurier et romarin.
Épluchez les échalotes, émincez-les. Faites-les revenir dans une casserole avec le vin blanc et le vinaigre et réduisez le liquide de moitié.
Versez la sauce ainsi obtenue dans la sauteuse avec les lardons, les escargots, l'huile d'olive. Rectifiez l'assaisonnement et laissez cuire doucement 20 minutes. Si le liquide de cuisson venait à manquer, ajoutez un peu de coulis de tomates. Servez votre matelote dans un plat creux, saupoudrée de persil haché.

Champignons à la grecque

POUR 4 PERSONNES / PRÉPARATION : 20 MIN + 4 H DE REPOS / CUISSON : 15 MIN

500 g de champignons de Paris
jus de 3 citrons
15 cl de vin blanc sec
1 c. à soupe de concentré de tomates
1 c. à soupe de graine de coriandre
1 bouquet garni
1 bouquet de coriandre fraîche
5 c. à soupe d'huile d'olive
sel, poivre

Choisissez les champignons les plus petits possible. S'ils sont plus gros, coupez-les en quatre après les avoir lavés et avoir coupé le pied terreux.
Dans une casserole, faites bouillir le vin blanc et le jus de citron. Après 2 ou 3 bouillons, ajoutez les graines de coriandre, le bouquet garni, le sel et l'huile d'olive. Laissez cuire 1 ou 2 minutes, puis délayez le concentré de tomates. Ajoutez alors les champignons et cuisez-les à peine 10 minutes. Surveillez la cuisson pour qu'ils restent croquants.
Versez la préparation dans un plat creux ou une terrine, ciselez la coriandre fraîche sur les champignons et laissez macérer au moins 4 heures avant de servir bien frais.

Petits farcis

POUR 4 PERSONNES PRÉPARATION : 1 H /CUISSON : 1 H 30

4 oignons blancs doux
4 petits poivrons (ou 2 gros)
4 pommes de terre à chair ferme
4 courgettes rondes
4 petites aubergines
4 tomates rondes à chair ferme
800 g de viande, mélange de chair à saucisse et restes de rôti
4 gousses d'ail
2 échalotes
5 feuilles de sauge
1 bouquet de persil plat
1 c. à café de quatre-épices
1 c. à café de cumin
2 c. à soupe d'huile d'olive
sel, poivre

Épluchez les oignons blancs. À l'aide d'un couteau pointu découpez une sorte de puits jusqu'à leur centre. Retirez la chair avec une petite cuillère et conservez-la. Plongez les oignons 5 minutes dans l'eau bouillante salée, puis retournez-les sur du papier absorbant pour qu'ils s'égouttent.
Lavez les pommes de terre, faites-les cuire une quinzaine de minutes, puis épluchez-les et creusez l'intérieur.
Découpez un chapeau aux tomates. Retirez la chair et les pépins avec une cuillère, jetez les pépins, conservez la chair. Retournez les tomates sur une feuille de papier absorbant.
Faites blanchir les courgettes rondes entières 7 à 8 minutes dans l'eau salée. Découpez-leur un chapeau, évidez-les et conservez leur chair.
Blanchissez de même les petites aubergines, que vous coupez ensuite dans le sens de la longueur (à moins d'avoir trouvé des aubergines rondes).
Si les poivrons sont gros, coupez-les en deux dans le sens de la longueur ; s'ils sont petits, découpez-leur un chapeau ; dans tous les cas ôtez les pépins.
Dans une grande poêle, versez l'huile d'olive. Faites revenir la chair à saucisse, ajoutez la chair des oignons émincée, ainsi que les échalotes et l'ail. Coupez en petits morceaux les restes de rôti, la chair des courgettes, celle des tomates et des aubergines. Mettez tous ces éléments à cuire avec la chair à saucisse, poivrez, ciselez les feuilles de sauge. Ajoutez cumin et quatre-épices. Rectifiez l'assaisonnement, salez. Laissez cuire 20 minutes. Versez cette préparation dans le bol d'un mixeur, ajoutez le persil effeuillé et mixez, mais pas trop finement.
Disposez les légumes évidés dans un plat à four, garnissez-les du hachis.
Enfournez à 180 °C (thermostat 6) pour 50 minutes.

Salade de poulpe

POUR 6 PERSONNES / PRÉPARATION : 30 MIN / CUISSON : 15 MIN + 2 H DE REPOS

800 g de poulpe (ou, à défaut, de calmars)
1 carotte
1 oignon
1 feuille de laurier
6 tomates marinées à l'huile
1 bouquet de persil plat
2 gousses d'ail
8 c. à soupe d'huile d'olive
2 c. à soupe de jus de citron
gros sel et poivre du moulin

Faites préparer le poulpe par votre poissonnier. Lavez à grande eau très soigneusement. Épluchez la carotte et l'oignon, émincez-les. Dans une grande casserole, faites bouillir un bon volume d'eau salée, avec carotte, oignon, laurier. Mettez-y à cuire les poulpes pendant 15 minutes. Vérifiez la cuisson en piquant avec la pointe d'un couteau : la chair doit être tendre, continuez la cuisson si elle reste encore un peu trop ferme. Laissez refroidir le poulpe dans son bouillon. Pendant ce temps, épluchez et émincez l'ail, lavez et ciselez le persil. Coupez en quatre les tomates marinées. Préparez une sauce avec l'huile d'olive, le jus de citron, l'ail et le persil. Sortez le poulpe de son bouillon, égouttez-le bien. Tranchez-le en lamelles, que vous disposez dans un plat creux, arrosez de sauce et parsemez de morceaux de tomates.

Salade de tomates et de poivrons grillés

POUR 6 PERSONNES / PRÉPARATION : 30 MIN / CUISSON : 1 HEURE

1 kg de tomates à chair ferme
4 poivrons (2 verts et 2 rouges)
4 gousses d'ail
2 c. à café de fleur de sel
2 branches de thym citronné
1 c. à soupe de vinaigre de Xérès
5 c. à soupe d'huile d'olive
sel fin, poivre mignonnette

Rincez les tomates, ôtez leurs pédoncules, coupez-les en deux horizontalement. Garnissez d'une feuille d'aluminium la plaque de votre four. Posez les tomates dessus, parsemez-les de fleur de sel et mettez au four préchauffé à 210 °C (thermostat 7) pour 1 heure. Sur une seconde plaque, ou sur la grille garnie d'une feuille de papier aluminium, posez les poivrons entiers. Enfournez. Durant la cuisson, retournez régulièrement les poivrons jusqu'à ce qu'ils soient devenus noirs et cloqués sur toutes leurs faces (environ 30 minutes). Sortez-les alors du four, enfermez-les dans un sac plastique et laissez-les reposer ainsi 30 minutes.
Lorsque les tomates sont cuites, débarrassez-les de leur peau et de leurs pépins, coupez en quatre. Sortez les poivrons du sac. Ôtez peaux et pépins, coupez la chair en lanières. Épluchez l'ail (retirez le germe s'il ne s'agit pas d'ail nouveau), émincez-le. Recueillez le jus des tomates et des poivrons, ajoutez-y le vinaigre, le sel, le poivre, l'huile d'olive et l'ail. Disposez tomates et poivrons dans un plat creux, arrosez de cette sauce, émiettez dessus le thym citronné.

Salade de fèves fraîches

POUR 4 PERSONNES / PRÉPARATION : 30 MIN / CUISSON : 8 MIN

2 kg de fèves fraîches
2 petits oignons rouges
1 bouquet de basilic
1 petite gousse d'ail
1 c. à soupe de vinaigre balsamique
4 c. à soupe d'huile d'olive
sel, poivre

Écossez les fèves. Mettez-les à cuire dans une casserole d'eau salée. Comptez 5 minutes de cuisson à partir de l'ébullition. Égouttez-les ensuite et rafraîchissez-les sous un filet d'eau froide.
Débarrassez les fèves de la peau épaisse qui les entoure et s'est un peu flétrie à la cuisson, en les pressant doucement entre vos doigts. Lavez le basilic, ciselez finement les feuilles. Épluchez l'ail, ôtez le germe, passez-le au presse-ail.
Dans un saladier, versez le vinaigre, le sel, le poivre, l'ail. Remuez, versez l'huile d'olive et délayez. Ajoutez le basilic. Épluchez les oignons rouges, coupez-les en fines tranches. Ajoutez les fèves et le basilic ciselé dans la sauce, mélangez et recouvrez de lamelles d'oignons rouges.
Ce plat est délicieux quand les fèves sont tièdes. On peut les réchauffer rapidement à l'eau bouillante, puis les égoutter avant de les assaisonner.

Salade niçoise

POUR 6 PERSONNES / PRÉPARATION : 45 MIN / CUISSON : 15 MIN

6 œufs
500 g de haricots verts
5 tomates rouges (moyennes)
5 tomates vertes (à peine mûres)
100 g de mesclun
3 oignons blancs
12 filets d'anchois à l'huile
3 branches de céleri
200 g de thon au naturel
50 g de petites olives noires de Nice
2 c. à soupe de vinaigre de vin rouge
8 c. à soupe d'huile d'olive
sel, poivre du moulin

Effilez les haricots verts, faites-les cuire al dente dans de l'eau bouillante salée. Puis égouttez-les.
Faites durcir les œufs.
Lavez les tomates, coupez-les en huit, disposez-les dans une passoire, parsemez-les de sel et laissez-les dégorger en posant la passoire sur un bol (le temps de la préparation).
Épluchez les branches de céleri, coupez-les en petits dés. Ouvrez les boîtes de thon et d'anchois, égouttez-les. Épluchez les oignons blancs, émincez-les. Lavez le mesclun. Versez le vinaigre, le poivre, le sel, l'huile d'olive dans un bol et mélangez.
Dans un grand plat creux disposez le mesclun, les haricots verts, les quartiers de tomates, les dés de céleri et les oignons blancs, émiettez le thon, parsemez d'olives. Versez la sauce, mélangez.
Disposez les filets d'anchois sur la salade et, autour du plat, les œufs durs écalés et coupés en deux.

Tagliatelles de courgettes et de concombre

POUR 4 PERSONNES / PRÉPARATION : 20 MIN / CUISSON : 10 MIN

2 courgettes
1 concombre
50 g de pignons de pin
1 bouquet de coriandre fraîche
50 g de parmesan
4 c. à soupe d'huile d'olive
sel, poivre

Lavez les courgettes et le concombre, coupez-les en lamelles (tagliatelles) à l'aide d'un couteau économe. Plongez les lamelles de courgette 1 minute dans l'eau bouillante salée. Rafraîchissez-les immédiatement et posez-les sur du papier absorbant.
Faites griller les pignons de pin dans une poêle antiadhésive.
Dans chaque assiette, disposez des lamelles de courgettes et de concombre et saupoudrez de pignons de pin grillés. Ciselez la coriandre fraîche. Salez, poivrez, arrosez d'huile d'olive. Au moment de servir, éparpillez sur le dessus quelques copeaux de parmesan, eux aussi taillés au couteau économe.

CONSEIL
En saison, remplacez le concombre par deux courgettes jaunes, que vous préparerez et ferez cuire comme les courgettes vertes.

Fleurs de courgettes farcies

POUR 4 PERSONNES PRÉPARATION : 45 MIN / CUISSON : 20 MIN

16 fleurs de courgettes
250 g de filets de merlan (sans arêtes)
1 œuf entier + 1 blanc
30 cl de crème fleurette
1/2 c. à café de curry
2 c. à soupe de vin blanc
1 c. à soupe d'huile d'olive
sel, poivre

Lavez, épongez les filets de merlan. Mettez-les dans le bol du mixeur avec l'œuf entier, le blanc supplémentaire, sel, poivre et curry. Mixez finement, versez régulièrement la crème fleurette et continuez de mixer.
À l'aide d'un cuillère, délicatement, farcissez les fleurs de courgette.
Verser l'huile d'olive et le vin blanc dans un plat allant au four, puis posez les fleurs de courgettes farcies les unes contre les autres. Enfournez à 180 °C (thermostat 6) pour 20 minutes.

Beignets de fleurs de courgettes

POUR 4 PERSONNES / PRÉPARATION : 35 MIN / CUISSON : 20 MIN

16 fleurs de courgettes
75 g de farine
1 œuf
1 canette de Perrier très froide
50 cl d'huile d'arachide
sel

Dans une terrine versez la farine, le sel, et mélangez.
Cassez l'œuf et séparez le blanc du jaune. Battez légèrement le blanc à la fourchette, avec un peu de sel, de façon qu'il devienne mousseux. Mettez le jaune dans la farine. Versez rapidement avec la moitié de la canette de Perrier, puis ajoutez le blanc d'œuf battu. Le mélange doit être homogène, mais pas trop battu ; cela donne une pâte à frire extrêmement légère.
Dans une grande poêle à bords hauts, faites chauffer l'huile d'arachide. Trempez chaque fleur de courgette dans la pâte à frire, puis jetez-la dans l'huile chaude et laissez cuire 3 minutes. On peut faire cuire plusieurs fleurs de courgettes à la fois, en prenant garde qu'elles ne se touchent pas.
Déposez les beignets sur du papier absorbant et salez-les.
Ils sont très appréciés à l'apéritif.

Petits pâtés au thon

POUR 4 PERSONNES / PRÉPARATION : 35 MIN / CUISSON : 40 MIN

400 g de thon
6 tranches de pain de mie
4 c. à soupe de lait
2 gousses d'ail
4 cives (oignons frais à tiges vertes)
1 c. à café de gingembre râpé
2 œufs
1 c. à soupe de maïzena
10 cl de vin blanc
2 tomates
3 brins de thym
3 feuilles de laurier
1 c. à soupe de concentré de tomates (facultatif)
2 c. à soupe d'huile d'olive
sel, poivre

Choisissez votre morceau de thon dans la partie, plus grasse, de l'avant du poisson. Lavez-le et séchez-le.
Épluchez l'ail, émincez-le. Faites chauffer l'huile d'olive dans une cocotte, ajoutez l'ail, les tomates coupées en petits morceaux, le thym, le laurier et, finalement, le thon. Mouillez avec le vin blanc, poivrez et salez. Laissez cuire à feu moyen pendant 15 minutes.
Pendant ce temps, coupez et éliminez la croûte des tranches de pain de mie, faites tremper le reste dans le lait.
Épluchez le thon, qui peut être resté un peu rosé au milieu ; découpez-le en morceaux. Dans le bol d'un mixeur, mettez la chair de thon, la mie de pain, essorée, les cives épluchées et débitées en petits tronçons, le gingembre, les œufs, le jus de cuisson du thon, filtré, et la maïzena. Mixez grossièrement l'ensemble.
Huilez 8 petits ramequins individuels et répartissez la farce entre eux.
Enfournez à 180 °C (thermostat 6), pour 25 minutes.
Si l'on souhaite obtenir une couleur plus rosée, on peut ajouter du concentré de tomates au moment du mixage.

ASTUCE
Vous pouvez remplacer le thon frais par du thon en boîte au naturel

Terrine de lapin

POUR 6 PERSONNES / PRÉPARATION : 45 MIN / CUISSON : 1 H 30

1 kg de viande de lapin désossée (avec le foie)
200 g d'épaule de veau
200 g de gorge de porc fraîche
350 g de tapenade noire
1 œuf
1 crépine
romarin
sel, poivre

Coupez les viandes en gros dés et hachez-les grossièrement. Salez, poivrez, ajoutez l'œuf et mélangez.
Rincez la crépine, tapissez-en la terrine. Déposez, dans le fond, une couche de viande hachée. Tartinez de tapenade, placez au centre le foie du lapin. Remettez une couche de farce, puis à nouveau de la tapenade. Finissez par de la farce. Refermez la crépine sur la préparation. Couchez dessus une branche de romarin, puis fermez le couvercle.
Posez la terrine dans un plat plus grand, que vous remplissez d'eau à moitié. Mettez à cuire au bain-marie, four 180 à 210 °C (thermostat 6 à 7) pendant 1 heure 30. Laissez refroidir lentement dans le four.
Conservez la terrine 2 jours avant de l'entamer.

Terrine de lièvre

POUR 6 PERSONNES / PRÉPARATION : 1 H + 1 JOURNÉE DE MACÉRATION / CUISSON : 2 H

1,5 kg de viande de lièvre désossée + le foie
500 g de gorge de porc
300 g de poitrine fraîche
300 g de viande de veau
thym
quatre-épices
4 c. à soupe de marc de Provence
20 cl de vin blanc de Provence
1 c. à café de ras el-hanout
10 baies de genièvre
1 œuf
1 oignon
3 gousses d'ail
1 carotte
1 crépine
3 c. à soupe d'huile d'olive
sel, poivre

Coupez les viandes en dés, sauf les filets du lièvre, que vous couperez en bandes.
Épluchez ail, oignon et carotte.
Dans une grande jatte, mettez les viandes. Ajoutez l'oignon et l'ail émincés, la carotte en rondelles. Arrosez d'huile d'olive, de vin blanc, de marc de Provence. Parsemez de quatre-épices, de ras el hanout, de romarin effeuillé, de baies de genièvre et donnez quelques tours de moulin à poivre. Laissez macérer au frais 1 journée.
Le lendemain, sortez les viandes de leur marinade. Mettez de côté les bandes de filets de lièvre. Passez le reste au hachoir, pas trop fin, placez-le dans la jatte. Filtrez la marinade au chinois et versez-la sur le hachis. Puis ajoutez l'œuf, le sel et malaxez bien l'ensemble.
Rincez la crépine, tapissez-en la terrine. Déposez une couche de hachis, des filets de lièvre, et recommencez l'opération jusqu'à épuisement des ingrédients. Refermez alors la crépine sur le hachis et posez le couvercle.
Cuisez la terrine, au bain-marie, 2 heures, four à 210 °C (thermostat 7). Laissez refroidir dans le four entrouvert, puis reposer 2 jours au frais avant de déguster.

Pissaladière

POUR 6 À 8 PERSONNES / PRÉPARATION : 45 MIN / CUISSON : 1 H 10

1 rouleau de pâte feuilletée ou 1 boule de pâte à pizza (pâte à pain)
1 kg d'oignons
30 filets d'anchois à l'huile
12 olives noires
1 c. à soupe de cumin en poudre
4 c. à soupe d'huile d'olive
sel, poivre

Épluchez les oignons, émincez-les (on peut aussi utiliser des oignons émincés surgelés).
Dans une grande poêle, faites chauffer l'huile d'olive, jetez-y les oignons. Faites-les revenir doucement en remuant régulièrement. Attention à ne pas les laisser roussir : les oignons sont cuits lorsqu'ils sont devenus translucides. Salez, poivrez, parsemez de cumin en poudre.
Mixez 20 filets d'anchois et conservez les 10 autres pour la finition de la pissaladière.
Préchauffez le four à 210 °C (thermostat 7).
Étalez la pâte, garnissez-en une tourtière. Sur le fond de pâte, étalez les anchois mixés, puis versez la purée d'oignons. Décorez le dessus de la pissaladière de filets d'anchois disposés en quadrillage et d'olives noires.
Enfournez à mi-hauteur. Au bout de 10 minutes, baissez le thermostat à 5 et laissez cuire encore 35 minutes.

Tarte tatin à la tomate

POUR 6 PERSONNES / PRÉPARATION : 30 MIN / CUISSON : 45 MIN

250 g de pâte feuilletée
1 kg de tomates
10 tomates marinées huile et ail
1 mozzarelle de bufflonne
2 gousses d'ail
1 bouquet de basilic
origan
2 c. à soupe d'huile d'olive
sel, poivre

Ébouillantez les tomates pour les éplucher. Épépinez-les, puis concassez-les.
Faites chauffer l'huile d'olive dans une grande poêle. Jetez-y l'ail, coupé en lamelles, ajoutez les morceaux de tomate, ciselez le basilic, salez et poivrez.
Faites cuire à feu vif jusqu'à obtenir une compote épaisse.
Étalez la pâte feuilletée.
Égouttez la mozzarelle, coupez-la en tranches épaisses que vous disposerez dans le fond d'un moule à tarte tatin. Étalez ensuite la « compote », les tomates marinées, parsemez d'origan, salez, poivrez. Couvrez le tout avec la pâte.
Enfournez à four préchauffé à 180 °C (thermostat 6), pendant 25 minutes.
À la sortie du four, démoulez la tarte en la retournant sur le plat de service.

Tartelettes au salpicon de thon

POUR 6 PERSONNES / PRÉPARATION : 25 MIN / CUISSON : 25 MIN

1 à 2 rouleaux de pâte brisée salée
(pour garnir 6 moules individuels)
200 g de thon au naturel
6 filets d'anchois
50 g de câpres
6 cornichons
1 bol de mayonnaise
1 bouquet de fines herbes

Rincez les filets d'anchois, égouttez les cornichons et les câpres. Émiettez grossièrement le thon. Coupez anchois et cornichons en petits tronçons.
Étalez la pâte brisée, découpez-la pour en garnir les moules individuels, et faites cuire à sec dans le four préchauffé à 180 °C (thermostat 6) pendant 20 minutes.
Dans une jatte, incorporez les différents ingrédients à la mayonnaise, ciselez les fines herbes, salez, poivrez, mélangez.
Lorsque les tartelettes sont cuites, sortez-les des moules, laissez-les refroidir, puis garnissez-les avec la préparation (salpicon) à base de thon.

Tarte aux sardines et tomates

POUR 6 PERSONNES /PRÉPARATION : 30 MIN / CUISSON : 35 MIN

1 rouleau de pâte brisée ou feuilletée (salée)
1 kg de tomates
6 sardines fraîches en filets
1 bulbe de fenouil
2 gousses d'ail
romarin
2 c. à soupe d'huile d'olive
sel, poivre

Ébouillantez les tomates, pelez-les, épépinez-les et coupez-les en quartiers. Faites chauffer l'huile d'olive dans une poêle, jetez-y les tomates, l'ail épluché et émincé. Épluchez le bulbe de fenouil, coupez-le en petits dés, que vous ajoutez dans les tomates. Salez, poivrez, parsemez de romarin. Laissez cuire 10 à 15 minutes, de façon à obtenir une purée épaisse.
Pendant ce temps, étalez la pâte à tarte, garnissez-en un moule et faites cuire à sec pendant 10 minutes, four à 180 °C (thermostat 6), juste pour dessécher la pâte.
Sortez ensuite la pâte du four, garnissez-la avec la purée de tomates, disposez les filets de sardines sur le dessus, en rayons depuis le centre.
Salez les sardines à la fleur de sel.
Enfournez à 180 °C (thermostat 6) pour 20 minutes.
Servez avec une salade mélangée.

Cannellonis

POUR 20 CANNELLONIS / PRÉPARATION : 1 H / CUISSON : 1 H

500 g de farine
5 œufs

Faire la pâte des cannellonis est très simple : mélangez la farine et les œufs, travaillez la pâte pour un faire une boule souple, laissez reposer 2 heures, puis étalez au rouleau à pâtisserie et taillez des rectangles de 8 x 10 cm.
Vous pouvez également acheter des feuilles de lasagnes prêtes à l'emploi. Faites-les alors cuire à l'eau bouillante salée, additionnée d'une cuillère d'huile d'olive. Puis rincez à l'eau froide et posez les feuilles sur une assiette, en attendant de les farcir, en intercalant des feuilles de papier absorbant.
Disposez les feuilles de lasagnes ou les feuilles de pâte sur le plan de travail. Sur chaque feuille mettez une cuillère à soupe de farce. Roulez la feuille de pâte sur elle-même pour constituer un rouleau et rangez les cannellonis les uns contre les autres dans un plat huilé.
Gratinez les cannellonis au four après les avoir nappés soit d'un coulis de tomates, soit d'une béchamel et de parmesan râpé, soit de beurre fondu et de feuilles de sauge.

Farce au lapin

250 g de restes de sauté de lapin
1 boîte de tomates olivettes pelées (200 g)

Prenez un reste de sauté de lapin, ôtez les os et coupez la viande en menus morceaux, que vous mélangez avec la sauce du plat et, éventuellement, avec les légumes qui l'accompagnaient (champignons, carottes…). Ajoutez les tomates olivettes pelées et concassées. Faites cuire cette farce pour l'épaissir, puis émiettez de la sarriette et vérifiez l'assaisonnement.

Farce à la ricotta

2 courgettes
200 g de ricotta
50 g de parmesan râpé
50 g de pignons de pin grillés
1 bouquet de basilic
thym

Épluchez les courgettes, coupez-les en tronçons, ébouillantez-les. Mettez-les dans le bol d'un mixeur, ajoutez la ricotta, le parmesan râpé, les feuilles de basilic. Mixez, puis mélangez cette préparation aux pignons de pin grillés, émiettez un peu de thym et vérifiez l'assaisonnement.

Farce à l'aubergine

1 bocal de caviar d'aubergine
1 fromage de chèvre frais
quelques feuilles de sauge

Mélangez le caviar d'aubergine avec le fromage de chèvre émietté, ciselez des feuilles de sauge, vérifiez l'assaisonnement.

Farce au jambon

250 g de champignons de Paris
2 c. à soupe de sauce de soja
200 g de jambon cuit
1 bol de béchamel un peu épaisse
quatre-épices

Épluchez les champignons de Paris, émincez-les dans une poêle antiadhésive pour qu'ils rendent leur eau, arrosez-les d'un peu de sauce soja.
Mixez le jambon.
Dans une jatte, mélangez la béchamel, le jambon, les champignons. Parsemez de quatre-épices et vérifiez l'assaisonnement.

Caillettes

POUR 6 PERSONNES / PRÉPARATION : 40 MIN / CUISSON : 1 H

1 kg d'épinards (ou de blettes)
400 g de chair à saucisses
100 g de foie de porc
1 crépine
4 gousses d'ail
5 baies de genièvre
1 oignon
1 bouquet de persil plat
thym, laurier
feuilles de sauge
2 c. à soupe de sel
1 c. à soupe de poivre du moulin

Épluchez puis ébouillantez les épinards dans une grande quantité d'eau salée.
Égouttez-les en pressant bien pour que toute l'eau sorte des feuilles.
Coupez le foie en gros dés et hachez-le. Mélangez à la chair à saucisses.
Mixez, pendant 2 minutes, les épinards et le persil, ajoutez le sel, le poivre, les baies de genièvre, le thym effeuillé et le laurier. Mélangez avec la chair pour obtenir une farce homogène.
Rincez la crépine et étalez-la sur le plan de travail. Déposez dessus de bonnes cuillerées de farce, en petits tas réguliers. Coupez la crépine largement autour de chaque tas et refermez-la en formant des paquets.
Déposez les caillettes obtenues dans un grand plat à four, bien serrées les unes contre les autres. Piquez une feuille de sauge sur chacune.
Enfournez à 180 °C (thermostat 6) pour 1 heure.
Laissez refroidir dans le plat.

CONSEIL
La caillette se conserve très bien, peut se congeler. Elle se déguste froide ou tiède.

Foie gras au chutney de figues

POUR 6 PERSONNES / PRÉPARATION : 45 MIN + 1 JOURNÉE DE REPOS / CUISSON : 1 H

1 foie gras de canard (500 à 600 g)
1 kg de figues noires fraîches
10 g de gingembre frais
3 gousses d'ail
150 g de sucre en poudre
1 petite bouteille de vinaigre de Xérès (37,5 cl)
1 c. à café de pâte de piment à l'ail (dans les épiceries asiatiques)
1 c. à café de garam massala
2 c. à soupe de muscat de Beaumes-de-Venise
fleur de sel et poivre du moulin

Déveinez le foie gras. Mettez les morceaux dans un grand plat creux, parsemez de fleur de sel, donnez 6 ou 7 tour de moulin à poivre. Arrosez de muscat de Beaumes-de-Venise.
Allumez le four à puissance maxi.
Choisissez une terrine adaptée à la quantité de foie (elle ne doit pas être trop grande). Tassez-y bien le foie et posez le couvercle.
Mettez la terrine dans un plat plus grand à moitié rempli d'eau froide. Faites cuire au bain-marie, four au thermostat maxi, pendant 20 minutes précisément.
Sortez la terrine du four, retirez le couvercle. Avec une cuillère, ôtez la graisse, réservez-la dans un bol. Posez une feuille de papier alu sur la terrine, puis un poids (ce peut être une petite boîte de conserve), laissez refroidir et placez au réfrigérateur jusqu'au lendemain.
Le lendemain enlevez le poids et le papier alu, réchauffez la graisse et versez-la sur la terrine, remettez le couvercle. Maintenez au frais au moins 2 jours avant de déguster.

LE CHUTNEY

Tranchez le pédoncule des figues, coupez-les en quatre. Pelez le gingembre et râpez-le. Épluchez l'ail, émincez-le après avoir ôté le germe. Dans un faitout, mettez les figues, le gingembre, l'ail, le garam massala, le sucre, la pâte de piment, mouillez avec le vinaigre de Xérès. Laissez cuire 1 heure doucement, en remuant de temps à autre, pour que les figues deviennent de la confiture.
Le chutney se conserve très bien au réfrigérateur. Le servir avec les tranches de foie gras et du pain de campagne grillé.

viandes et volailles

Pieds et paquets

POUR 6 PERSONNES / PRÉPARATION : 30 MIN / CUISSON : 3 H

2 bocaux de pieds et paquets
150 g de lardons fumés
1 bouquet de persil
3 oignons
2 clous de girofle
quelques brins de thym
2 feuilles de laurier
1 grande boîte de tomates pelées
1 verre de vin blanc de Provence
6 c. à soupe d'huile d'olive
sel, poivre

On trouve facilement, y compris en grandes surfaces, des panses et des pieds d'agneau, nettoyés et prêts à l'emploi (surtout dans le sud-est de la France) qui vous permettraient de cuisiner « à l'ancienne » cette recette incontournable de la table provençale. Cela dit, la tache étant loin d'être simple, nous ne pouvons que vous conseiller une solution plus « rapide » : il existe en effet d'excellents pieds et paquets tout préparés ! Vous n'aurez plus qu'à les faire cuire comme indiqué…

Épluchez les oignons, piquez l'un d'eux avec les clous de girofle et émincez les autres.
Dans un faitout, faites revenir les oignons émincés et les lardons fumés dans l'huile d'olive préalablement chauffée. Mouillez avec un peu de vin. Disposez, dans le fond du faitout les pieds et les paquets, ajoutez les tomates pelées et leur jus, les feuilles de laurier, le thym, quelques branches de persil, le reste du vin blanc, salez et poivrez.
Couvrez et laissez cuire 2 heures, en remuant de temps à autre.
Ce plat est bien meilleur réchauffé le lendemain. N'hésitez pas à lui rajouter 20 min de cuisson, à feu très doux.

PIEDS & PAQUETS
Sélectionné par
BOUCHERIE RAYMOND
68 Grande Rue – 84110 VAISON la ROMAINE
Tel :04.90.36.00.50
Ingrédients :Tripes(42%)et pieds d'agneau(14%),tomates,vin blanc,poitrine de porc(13%),oignons,poireaux carottes,huile,ail, persil,sel,poivre et épices.
600g
A consommer de préférence avant la date indiquée sous le bocal.
F
04.209.07
CEE

Boulettes de bœuf

POUR 25 BOULETTES / PRÉPARATION : 40 MIN / CUISSON : 40 MIN

800 g de bœuf haché
200 g de roquette
1 bouquet de persil plat
300 g de champignons de Paris
2 épaisses tranches de jambon de pays
3 gousses d'ail
1 œuf
quelques brins de romarin
1 pot de sauce tomate « avec morceaux »
2 c. à soupe de farine
15 cl d'huile d'arachide
sel, poivre

Lavez la roquette et le persil, supprimez les tiges les plus épaisses. Coupez le jambon de pays en dés.
Lavez les champignons, coupez leurs pieds terreux.
Mixez ensemble le jambon de pays, les champignons, la roquette, le persil et l'ail.
Dans une grande jatte, mélangez la viande de bœuf hachée, le hachis d'herbes et de jambon. Ajoutez l'œuf, assaisonnez, mélangez encore.
Façonnez de petites boulettes, que vous farinez légèrement.
Faites chauffer l'huile, plongez-y les boulettes, juste pour les saisir.
Dans un plat allant au four, disposez les boulettes frites, arrosez-les de sauce tomate, parsemez de romarin.
Faites cuire au four à 180 °C (thermostat 6) pendant 35 minutes.

Alouettes sans tête

POUR 6 PERSONNES / PRÉPARATION : 45 MIN / CUISSON : 1 H

12 fines tranches de rumsteak
200 g de poitrine fraîche
3 gousses d'ail
2 oignons
2 carottes
1 bouquet de persil
quelques brins de thym
quelques feuilles de laurier
50 cl de bouillon de bœuf (type bouillon Kub)
2 c. à soupe de concentré de tomates
25 cl de coulis de tomates
20 cl de vin blanc sec
2 c. à soupe d'huile d'olive
sel, poivre

Débitez la poitrine en cubes, sans couenne ni cartilage.
Épluchez l'ail, les oignons et les carottes. Lavez le persil.
Dans le bol d'un mixeur, placez les dés de poitrine, les feuilles de persil, l'ail, sel, poivre, et mixez finement.
Disposez les tranches de bœuf sur le plan de travail. Mettez un peu de farce sur chacune, roulez et ficelez pour constituer les paupiettes.
Dans un grand faitout, faites chauffer l'huile d'olive, puis revenir les oignons émincés et les carottes en rondelles.
Ajoutez les paupiettes, faites rissoler rapidement. Mouillez avec le vin blanc, ajoutez le concentré et le coulis de tomates, le bouillon, enfin le thym et le laurier, rectifiez l'assaisonnement.
Laissez cuire doucement, à couvert, pendant 1 heure.

Carbonade en omelette

POUR 6 PERSONNES / PRÉPARATION : 35 MIN / CUISSON : 30 MIN

300 g de viande de bœuf (restes de rôti ou de pot-au-feu)
6 œufs
150 g de petit salé
4 gousses d'ail
2 oignons
4 tomates
1 bouquet de persil plat
1/2 tasse de mie de pain
50 g de beurre
4 c. à soupe d'huile d'olive
sel, poivre

Taillez la viande en très petits dés ou hachez-la. Coupez le petit salé en lardons. Épluchez l'ail, les oignons. Ôtez la peau et les pépins des tomates, concassez-les. Chauffez l'huile dans une poêle, faites rissoler l'ail, les oignons émincés et les lardons. Ajoutez les tomates concassées, la viande hachée, parsemez de mie de pain, ciselez le persil.
Cassez les œufs un à un dans une jatte, battez-les en omelette, salez, poivrez. Rajoutez la viande préparée et assaisonnée, mélangez bien.
Faites chauffer le beurre dans une poêle. Mettez-y à cuire la carbonade (en 2 fois si la poêle est trop petite). Cuisez doucement ; au bout de 20 minutes, retournez la carbonade en vous aidant d'une assiette, puis remettez à cuire sur l'autre face, pendant 3 minutes.

Épaule d'agneau aux herbes

POUR 6 PERSONNES / PRÉPARATION : 40 MIN / CUISSON : 1 H

1 épaule d'agneau désossée
2 rognons d'agneau épluchés (ou 100 g de foie d'agneau)
3 petits oignons frais (blancs à longue tige verte)
2 gousses d'ail
6 têtes d'ail
3 oignons
1 bouquet de coriandre fraîche
1 bouquet de fines herbes
2 branches de thym
1 c. à café de cumin en poudre
10 cl de vin blanc sec
3 c. à soupe d'huile d'olive
sel, poivre

Lavez les herbes.
Épluchez les 2 gousses d'ail et les oignons blancs.
Dans le bol d'un mixeur, déposez les rognons ou le foie coupés en dés, le thym effeuillé, la coriandre, les fines herbes et les oignons blancs, salez, poivrez, saupoudrez de cumin, mixez finement.
Posez l'épaule d'agneau, à plat, sur le plan de travail. Étalez sur elle la préparation mixée, roulez-la et ficelez-la, ou enveloppez-la dans une crépine de porc.
Coupez les capuchons des 6 têtes d'ail. Épluchez les oignons, émincez-les.
Dans un grand plat four huilé, disposez les oignons émincés, l'épaule d'agneau badigeonnée d'huile d'olive, les têtes d'ail tout autour, salez, poivrez, versez le vin blanc.
Enfournez à 180 °C (thermostat 6) pour 1 heure. Arrosez régulièrement pendant la cuisson.
Laissez reposer 20 minutes, four éteint et porte ouverte, avant de découper.

Sauté d'agneau aux artichauts

POUR 6 PERSONNES / PRÉPARATION : 35 MIN / CUISSON : 45 MIN

1 épaule d'agneau désossée
12 petits artichauts violets (les plus petits)
2 gousses d'ail
2 oignons
thym, laurier
10 cl de vin blanc
25 cl de bouillon de viande (type bouillon Kub)
3 c. à soupe d'huile d'olive
sel, poivre

Débitez l'épaule d'agneau en dés de 3 cm.
Éliminez les queues et le haut des feuilles des artichauts, puis coupez-les en quatre.
Chauffez l'huile dans une grande cocotte en fonte, faites-y revenir l'ail et les oignons émincés. Mettez les dés d'épaule et faites-les dorer. Ajoutez les artichauts, arrosez avec le vin blanc, salez, poivrez, effeuillez le thym et le laurier. Mouillez enfin avec le bouillon, couvrez et laissez cuire doucement pendant 45 minutes.

STAUB
STAUB

Blanquette de chevreau

POUR 4 PERSONNES /PRÉPARATION : 30 MIN / CUISSON : 50 MIN

1 gigot de chevreau coupé en morceaux
2 carottes
2 petits poireaux (ou oignons nouveaux)
2 gousses d'ail
1 cube de bouillon de volaille
1 jaune d'œuf
2 c. à soupe de poudre d'amandes
50 g d'amandes effilées
4 feuilles de sauge
thym
50 g de beurre
2 c. à soupe d'huile d'olive
sel, poivre

Épluchez les légumes.
Dans une cocotte en fonte, chauffez ensemble l'huile et le beurre. Faites revenir les morceaux de chevreau avec les carottes et les poireaux coupés en rondelles, l'ail émincé. Mouillez avec 50 cl de bouillon de volaille. Salez, poivrez, ajoutez les feuilles de sauge. Laissez cuire 40 minutes à couvert.
Prélevez une louche de bouillon de cuisson, que vous versez dans un bol. Délayez-y le jaune d'œuf et reversez le tout dans la cocotte, sur la viande. Parsemez de poudre d'amande, ajoutez les amandes effilées, auparavant légèrement grillées dans une poêle antiadhésive. Laissez cuire encore 10 minutes, le temps que la sauce épaississe.
Un gratin de cardons ou des pommes de terre nouvelles persillées accompagneront idéalement cette blanquette.

Civet de lapin

POUR 6 PERSONNES / PRÉPARATION : 45 MIN / CUISSON : 1 H 30

1 gros lapin de ferme découpé en morceaux (au couteau)
150 g de lardons fumés
2 c. à soupe de vinaigre de vin
3 carottes
3 oignons
4 gousses d'ail
2 c. à soupe de farine
1 bouquet de persil
1 bouquet garni
quatre-épices
2 c. à soupe de marc de Provence (ou de cognac ou d'armagnac)
75 cl de Côtes-du-Rhône Village rouge
4 c. à soupe d'huile d'olive
sel, poivre

Épluchez les légumes, lavez le persil.
Chauffez l'huile dans une cocotte en fonte, faites-y dorer les morceaux de lapin, puis flambez-les au marc de Provence. Saupoudrez-les ensuite de farine, mélangez pour qu'ils soient bien enrobés. Ajoutez les lardons puis les oignons émincés, les carottes coupées en rondelles, les gousses d'ail épluchées mais entières, parsemez de persil ciselé.
Ajoutez le bouquet garni, salez, poivrez, saupoudrez de quatre-épices, mouillez avec le vin rouge. Couvrez et laissez cuire 1 heure 30, en surveillant le niveau du jus de cuisson.
Traditionnellement, c'est avec le sang de l'animal qu'on épaissit la sauce du civet. Comme il devient difficile de s'en procurer, nous conseillons d'utiliser un peu de farine à cet effet.
Servez votre civet avec de l'épeautre (cuit comme du riz).

Lapin à la tapenade

POUR 6 PERSONNES / PRÉPARATION : 30 MIN / CUISSON : 1 H

1 beau lapin de ferme coupé en morceaux
4 tomates
1 oignon
1 bouquet de basilic
sarriette
1 cube de bouillon de volaille
250 g de tapenade
4 c. à soupe d'huile d'olive
sel et poivre du moulin

Épluchez l'oignon, émincez-le. Lavez les tomates, coupez-les en quartiers.
Prenez une grande cocotte en fonte, chauffez l'huile d'olive, mettez les oignons à rissoler en tournant avec une cuillère en bois, ajoutez les quartiers de tomates.
Posez les morceaux de lapin sur les oignons, donnez-leur rapidement une coloration sur toutes les faces, puis enrobez-les de tapenade. Poivrez d'un ou deux tours de moulin et évitez de trop saler car la tapenade est déjà salée, vous rectifierez à la fin.
Émiettez la sarriette, effeuillez le basilic dans la cocotte et ajoutez 25 cl de bouillon de volaille. Posez le couvercle et enfournez dans votre four préchauffé à 180-200 °C (thermostat 6 à 7). Laissez cuire 1 heure, vérifiez en cours de cuisson s'il ne manque pas de bouillon.

Poitrine de veau farcie

POUR 6 PERSONNES / PRÉPARATION : 45 MIN / CUISSON : 2 H

1 kg de poitrine de veau désossée
300 g de chair à saucisse
1 œuf
2 tomates
2 gousses d'ail
1 bouquet de coriandre fraîche
quelques graines de cardamome
1/2 c. à café de ras el hanout
muscade râpée
2 tranches de pain de mie
10 cl de vin blanc
3 c. à soupe d'huile d'olive
sel, poivre

Faites préparer la poitrine de veau par votre boucher, il pratiquera une « poche » dans le morceau pour qu'il puisse être farci.
Lavez les herbes, épluchez l'ail, pelez et coupez grossièrement les tomates.
Retirez la croûte des tranches de pain de mie.
Dans le bol d'un mixeur, déposez la chair à saucisse, la coriandre fraîche, les graines de cardamome, la mie de pain, mixez finement.
Versez ce hachis dans une jatte, salez, poivrez, saupoudrez de muscade râpée, de ras el hanout, ajoutez l'œuf et mélangez bien l'ensemble.
Farcissez la poitrine de veau avec cette préparation. Ficelez-la ou cousez la poche.
Dans un plat à four versez l'huile d'olive, déposez la poitrine farcie, les morceaux de tomates, mouillez avec le vin blanc.
Enfournez à four froid, puis montez à 160 °C (thermostat 5) et laissez cuire 2 heures en arrosant régulièrement.

Daube de marcassin

POUR 6 À 8 PERSONNES / PRÉPARATION : 35 MIN + 1 NUIT DE MARINADE / CUISSON : 3 H (EN 2 FOIS)

2 kg de marcassin (épaule, collier), ou 1 rouelle de jambon de porc
300 g de lard fumé
300 g de lard frais
2 carottes
6 gousses d'ail
2 oignons
30 petits oignons grelots
1 l de Côtes-du-Rhône Village
3 tranches de pain d'épices
1 bouquet garni
2 clous de girofle
noix muscade
quatre-épices
50 g de beurre
4 c. à soupe d'huile d'olive
sel, poivre

Faites découper la viande en morceaux. Placez-les dans une grande jatte, salez, poivrez, saupoudrez de noix de muscade et de quatre-épices. Épluchez l'ail et les carottes, émincez-les sur la viande. Versez le vin dessus. Épluchez les oignons, piquez-les de clous de girofle, ajoutez-les à la marinade, ainsi que le bouquet garni. Laissez mariner, au frais, une nuit.
Le lendemain, sortez les morceaux de viande de la marinade.
Chauffez l'huile et le beurre dans une grande cocotte, faites-y revenir les morceaux de viande égouttés, ainsi que les lards, fumé et frais, coupés en dés. Versez la marinade sur la viande, couvrez et laissez cuire 1 heure 30 (ou 2 heures, car la daube est d'autant meilleure qu'elle aura cuit longtemps) à feu doux. (On peut mener la cuisson d'une seule traite, mais la viande est bien plus tendre et parfumée si on la laisse reposer en milieu de cuisson. Alors, arrêtez la cuisson au bout d'1 heure 30 ou 2 heures, laisser reposer et reprenez soit 2 heures après, soit le lendemain.)
Épluchez les oignons grelots, ajoutez-les dans la cocotte.
Mixez les tranches de pain d'épices, parsemez-les sur le dessus de la daube et reprenez la cuisson pour 1 heure 30.
Cette daube se déguste avec une purée de céleri ou des pâtes fraîches.

Civet de porc

POUR 6 PERSONNES / PRÉPARATION : 40 MIN / CUISSON : 1 H 30

1 kg de jarret de porc (avec la couenne)
200 g de lardons fumés
6 gousses d'ail
4 oignons
1 carotte
10 feuilles de sauge
1 bouquet de persil
1 bouquet garni
75 cl de vin blanc sec de Provence (Côtes-du-Ventoux, Cairanne ou Côtes-du-Rhône Village)
2 c. à soupe d'huile d'olive
sel, poivre

Faites découper le jarret par votre boucher.
Épluchez l'ail, les oignons, la carotte. Lavez, équeutez le persil.
Dans une grande cocotte en fonte, chauffez l'huile d'olive. Faites-y rissoler les lardons, les oignons émincés, l'ail. Faites ensuite revenir et dorer les morceaux de porcelet, mouillez avec 1 verre de vin blanc. Ajoutez le bouquet garni, les feuilles de sauge, la carotte en rondelles, les feuilles de persil. Versez le reste du vin, salez, poivrez. Couvrez et laissez cuire doucement pendant 1 heure 30.
Surveillez le jus de cuisson : s'il venait à manquer ajoutez un peu de vin, mais, en fin de la cuisson, la sauce ne doit pas être trop liquide. Éventuellement, retirez les morceaux de viande et donnez quelques bouillons pour la réduire.

Pigeons au miel

POUR 4 PERSONNES / PRÉPARATION : 45 MIN / CUISSON : 40 MIN

4 pigeons (vidés)
le gras de 3 tranches de jambon
2 foies de volaille (ou les foies des pigeons)
1 œuf
200 g de poudre d'amandes
150 g d'amandes effilées
6 c. à soupe de miel de lavande
1 c. à café de cannelle en poudre
1/2 c. à café de cumin
1 c. à café de safran en poudre
2 c. à soupe d'huile d'olive
sel, poivre

Dans le bol d'un mixeur, placez les foies (de volaille ou de pigeon), la poudre d'amandes, 2 cuillères à soupe de miel, le cumin, la cannelle, l'œuf, le gras de jambon (sans la couenne), mixez finement. En fonction de la fluidité du miel, rajoutez-en un peu si la pâte obtenue vous paraît trop épaisse.
Posez les pigeons sur le plan de travail. Glissez votre index sous la peau de chaque pigeon pour la séparer de la chair et introduisez la farce entre chair et peau.
Rangez ensuite les pigeons les uns contre les autres dans un plat huilé allant au four. Badigeonnez d'huile les pigeons, salez, poivrez. Enfournez à 160 °C (thermostat 5), arrosez régulièrement et, si le jus manque, ajoutez un peu d'eau chaude. Au bout de 20 minutes de cuisson, arrosez chacun des pigeons d'1 cuillère à soupe de miel et laissez cuire encore 20 minutes.
Laissez reposer 15 minutes à l'entrée du four ouvert avant de découper.

Canette aux olives

POUR 4 À 6 PERSONNES / PRÉPARATION : 30 MIN / CUISSON : 1 H 30

1 canette
200 g de lardons fumés
20 oignons grelots
500 g d'olives vertes
6 filets d'anchois
thym
50 g de beurre
2 c. à soupe d'huile d'olive
poivre

Chauffez l'huile d'olive dans une sauteuse, faites revenir les lardons, ajoutez les olives vertes, dénoyautées et rincées, et les filets d'anchois. Parsemez de thym, poivrez. Cuisez doucement pour ramollir les olives, en écrasant régulièrement l'ensemble avec une cuillère en bois.
Épluchez les oignons grelots.
Lorsque les olives sont cuites (au bout d'environ 30 minutes), farcissez la canette avec la pâte obtenue et recousez-la.
Déposez-la dans un plat, enduisez-la de beurre, mettez-la au four préchauffé à 180 °C (thermostat 6). Arrosez régulièrement et, si le jus venait à manquer, ajoutez un peu de bouillon de volaille.
Au bout de 30 minutes dans le four, disposez les petits oignons tout autour de la canette et poursuivez la cuisson 30 minutes.
Laissez reposer la volaille 20 minutes, four arrêté et porte ouverte, avant de la découper.

saveurs de la mer

Calmars farcis

POUR 4 PERSONNES / PRÉPARATION : 40 MIN / CUISSON : 45 MIN

8 calmars vidés
200 g de filets de merlan
200 g de jambon de pays cru
2 tranches de pain de mie
5 cl de lait
2 c. à soupe de pignons de pin
2 gousses d'ail
1 bouquet de coriandre fraîche
1 oignon blanc
6 tomates
1/2 bouquet de persil plat
romarin
2 c. à soupe d'huile d'olive
sel, poivre

Lavez les calmars, corps et tentacules. Faites tremper la mie de pain dans le lait. Épluchez l'ail et l'oignon.
Dans le bol d'un mixeur, mettez le jambon coupé en dés, les herbes lavées et équeutées, l'ail et l'oignon émincés, la mie de pain essorée, la chair de merlan coupée en dés, les tentacules des calmars, sel et poivre. Mixez finement, mélangez cette préparation avec les pignons de pin, puis farcissez-en les calmars.
Pelez, épépinez et coupez grossièrement les tomates, faites-les sauter à l'huile d'olive, rajoutez l'ail émincé, salez, poivrez, parsemez du romarin et laissez cuire quelques minutes.
Disposez les calmars farcis dans un plat allant au four, recouvrez-les de votre sauce tomate. Enfournez à 180 °C (thermostat 6) et laissez cuire pendant 45 minutes.

Sardines farcies

POUR 4 PERSONNES / PRÉPARATION : 40 MIN / CUISSON : 20 MIN

2 douzaines de sardines
200 g de jambon cru
200 g d'épinards cuits égouttés
1 œuf
1 bouquet de coriandre fraîche
2 gousses d'ail
thym, laurier
cumin en poudre
3 c. à soupe de farine
4 citrons
25 cl d'huile de friture
sel, poivre

Demandez à votre poissonnier d'écailler les sardines, de les vider, de leur couper la tête et de les ouvrir en deux par le ventre, d'ôter l'arête centrale et de laisser les filets attachées par le dos.
Lavez et effeuillez la coriandre. Épluchez l'ail.
Dans le bol d'un mixeur, mettez le jambon coupé en dés, les épinards, l'œuf, l'ail, le cumin, les feuilles de coriandre, du sel (peu, car le jambon est déjà salé) et du poivre, émiettez le thym et le laurier, mixez finement.
Étalez les sardines sur le plan de travail, déposez une cuillerée de farce sur chacune et refermez-les.
Farinez légèrement chaque sardine, faites-les frire dans l'huile, puis épongez-les sur du papier absorbant.
Salez légèrement les sardines et servez-les avec des quartiers de citron.

Sardines à l'escabèche

POUR 1 KG DE SARDINES / PRÉPARATION : 30 MIN / CUISSON : 30 MIN

1 kg de sardines
6 tomates
6 gousses d'ail
3 oignons
1 branche de céleri
1 citron
25 cl de vin blanc
3 c. à soupe de vinaigre de vin
2 c. à soupe de farine
1 bouquet de persil plat
2 feuilles de laurier
10 cl d'huile de friture
6 c. à soupe d'huile d'olive
sel, poivre

Faites éplucher les sardines par votre poissonnier (écailler, étêter, vider).
Épluchez l'ail et les oignons, émincez-les.
Coupez le citron en rondelles.
Dans une sauteuse, chauffez l'huile d'olive, faites rissoler ail et oignons, mouiller avec le vin blanc et le vinaigre, salez, poivrez. Ajoutez les feuilles de persil plat, le laurier émietté, les tomates coupées grossièrement. Laissez cuire à petits bouillons pendant 20 minutes, puis ajoutez les rondelles de citron, arrêtez la cuisson de votre escabèche et couvrez.
Essuyez les sardines, salez-les et farinez-les très légèrement.
Chauffez l'huile de friture, faites rissoler les sardines 3 minutes de chaque côté, épongez-les et mettez-les, au fur et à mesure, dans un plat creux. Lorsque vous y avez rangé toutes les sardines, versez l'escabèche et laissez mariner au moins 2 jours au réfrigérateur avant de déguster.

Petites seiches en friture

POUR 4 PERSONNES / PRÉPARATION : 30 MIN / CUISSON : 20 MIN

1 kg de petites seiches ou supions
5 branches de persil
2 gousses d'ail
1 citron
25 cl d'huile de friture
fleur de sel

Rincez les petites seiches. Tirez sur les tentacules et l'intérieur sortira. Coupez les tentacules, jetez l'intérieur.
Faites attention à bien retirer le petit cartilage qui se trouve dans la coquille interne.
Lavez à nouveau corps et tentacules, séchez-les dans du papier absorbant.
Chauffez l'huile sans la laisser fumer. Jetez-y une partie des seiches, laissez-les dorer 10 minutes, puis sortez-les à l'aide d'une passoire et égouttez-les sur du papier absorbant.
Procédez ainsi plusieurs fois, jusqu'à avoir frit toutes les seiches.
Lavez le persil, épluchez et mixez l'ail.
Déposez les seiches dans un grand plat, arrosez d'un jus de citron, parsemez du hachis d'ail et persil, salez à la fleur de sel.

Aïoli

POUR UN GRAND BOL / PRÉPARATION : 15 MIN

2 gousses d'ail
1 jaune d'œuf
1 c. à soupe de moutarde
30 cl d'huile d'olive vierge
sel fin et poivre noir du moulin

Épluchez l'ail en enlevant le germe et passez-le au presse-ail.
Mettez les 3 jaunes d'œufs dans une jatte, avec l'ail pressé, le sel fin, la moutarde, et mélangez avec le fouet. Versez l'huile d'olive en filet régulier, tout en continuant de fouetter. Salez, poivrez.
Présentez dans un bol en terre.

CONSEIL
On déguste l'aïoli à l'apéritif avec des bulots cuits, mais aussi avec la bouillabaisse (recette page 90), de la morue dessalée et pochée, des légumes crus ou juste blanchis, ou encore avec de la viande froide.

Brandade de morue

POUR 6 PERSONNES / PRÉPARATION : 20 MIN + 24 H DE DESSALAGE / CUISSON : 30 MIN

1 kg de morue
4 gousses d'ail
25 cl de lait tiède
1 jus de citron
noix muscade
25 cl d'huile d'olive
poivre du moulin

Faites dessaler la morue pendant 24 heures, en changeant l'eau régulièrement. Le lendemain, pochez-la 10 minutes à l'eau bouillante. Égouttez-la, débarrassez-la de sa peau et de ses arêtes.
Effilez la morue ou passez-la au mixeur avec l'ail épluché.
Chauffez 3 cuillères à soupe d'huile d'olive dans une casserole, ajoutez la morue. Tournez vivement, sans arrêt, à l'aide d'une cuillère en bois, et, lorsque l'huile d'olive est complètement amalgamée, ajoutez un peu de lait tiède, puis versez alternativement huile et lait en continuant à tourner régulièrement. Assaisonnez de poivre, poudre de muscade et jus de citron.

Loup à la génoise

POUR 4 PERSONNES / PRÉPARATION : 45 MIN / CUISSON : 30 MIN

2 loups (ou 1 gros)
4 petits artichauts violets
2 carottes
100 g de fèves écossées (surgelées)
2 citrons confits
3 gousses d'ail
1 bouquet de coriandre fraîche
1 c. à café de graines de coriandre
1 jus de citron
thym, laurier
50 cl de vin blanc sec de Provence
6 c. à soupe d'huile d'olive
sel, poivre

Faites lever les filets de loup par votre poissonnier, en conservant leur peau. Lavez-les, essuyez-les.
Arrachez les feuilles les plus dures des artichauts, tranchez-leur la queue et le haut des feuilles, puis coupez-les en deux et ôtez le foin du cœur.
Épluchez les carottes, coupez-les en dés.
Plongez les fèves 2 minutes dans de l'eau bouillante salée, passez-les sous l'eau froide, puis retirer la peau épaisse qui les entoure.
Épluchez l'ail, émincez-le. Lavez le bouquet de coriandre, effeuillez-le.
Dans une sauteuse, chauffez l'huile d'olive, faites-y dorer l'ail, ajoutez les carottes, le jus de citron, les graines de coriandre et les artichauts. Parsemez de thym et de laurier, mouillez avec le vin blanc, assaisonnez de sel et poivre. Laissez cuire 20 minutes, à feu doux.
Ajoutez ensuite les fèves, les feuilles de coriandre fraîche et les citrons confits coupés en dés. Laissez cuire encore 5 minutes.
Chauffez 1 cuillère à soupe d'huile dans une poêle, faites-y cuire les filets de loup à l'unilatéral, c'est-à-dire sur leur peau. Laissez griller 7/8 minutes à feu vif : la peau noircit, la chair cuit par remontée de la chaleur.
Servez les filets de loup grillés, accompagnés de la fricassée d'artichauts aux citrons confits.

Oursinade

POUR 6 PERSONNES / PRÉPARATION : 45 MIN / CUISSON : 30 MIN

6 tranches de lotte
1 grosse daurade en filets
1 oignon
1 carotte
3 branches de persil
1 feuille de laurier
10 cl de vin blanc
50 g de beurre
4 jaunes d'œufs
1 pot de beurre d'oursin
sel, poivre

Épluchez l'oignon et la carotte, émincez-les.
Dans une grande casserole, versez le vin blanc, 75 cl d'eau, salez, poivrez, ajoutez l'oignon et la carotte émincés, le laurier, le persil. Faites bouillir.
Ajoutez les morceaux de lotte et les filets de daurade débités en 6 parts dans le court-bouillon chaud. Laissez cuire doucement pendant 15 minutes.
Ouvrez le pot de beurre d'oursin (on peut aussi récupérer le corail de 6 oursins, mais c'est plus délicat).
Mettez les jaunes d'œufs dans une casserole, délayez-les avec une cuillère à soupe d'eau froide. Posez la casserole sur un très petit feu, incorporez le beurre en fouettant et, lorsque la sauce commence à épaissir, ajoutez le beurre d'oursins. Si vous jugez la sauce trop épaisse, délayez-la avec 1 ou 2 cuillères à soupe de court-bouillon de poissons.
Faites griller 6 tranches de pain de campagne. Disposez les morceaux de poissons dans des assiettes creuses chaudes, versez la sauce d'oursin dans les assiettes et accompagnez de pain grillé.

Bourride

POUR 6 PERSONNES / PRÉPARATION : 1 H / CUISSON : 1 H

1 kg de poissons de roche, nettoyés, vidés (à défaut, des têtes de gros poissons)
3 daurades moyennes en filets
6 tranches de lotte
6 seiches (moyennes) épluchées
2 gros filets de merlan (chacun coupé en trois)
2 poireaux
3 oignons
6 gousses d'ail
4 tomates juteuses
6 pommes de terre
1 petit piment Cayenne
1/2 c. à café de safran
1 bouquet de persil
1 bouquet garni
1 grand bol d'aïoli (recette page 82)
3 jaunes d'œufs crus
50 cl de vin blanc sec (facultatif)
15 cl d'huile d'olive
sel, poivre

Épluchez tous les légumes. Lavez et essuyez tous les poissons. Coupez les poissons de roche en deux.
Faites chauffer l'huile d'olive dans un grand faitout, ajoutez les oignons et les poireaux en rondelles, le persil ciselé, l'ail émincé, les tomates concassées. Faites bien dorer l'ensemble. Ajoutez les poissons de roche, salez, poivrez, ajoutez le bouquet garni et le petit piment. Laissez cuire 10 minutes les poissons, puis mouillez avec le vin blanc et 3 litres d'eau et laissez cuire à petits bouillons pendant 10 minutes encore.
Passez le contenu du faitout au moulin à légumes. Récupérez bien le jus de cuisson, reversez-le dans une grande casserole, ajoutez-lui le safran.
Coupez les seiches en séparant les tentacules des corps, que vous tranchez en lamelles. Faites cuire dans le bouillon 30 minutes. Ajoutez alors des pommes de terre en tranches épaisses et, lorsqu'elles sont presque cuites (vérifiez avec la pointe d'un couteau), faites pochez les poissons, en commençant par la lotte (plus longue à cuire), suivie 10 minutes après, des filets de merlan et de daurade. Laissez cuire 5 à 6 minutes.
Préparez des assiettes chaudes, où vous posez des tranches de pommes de terre, puis, dessus, délicatement, les filets de poissons et les morceaux de seiche.
Prenez 6 cuillères à soupe d'aïoli, mélangez-les aux 3 jaunes d'œufs crus, ajoutez une louche de bouillon de poisson en fouettant, versez dans une casserole, mettez sur feu très doux et, tout en continuant de fouetter, versez le bouillon de poisson et laisser s'épaissir doucement. Versez ce bouillon épaissi sur les assiettes. Présentez le reste de l'aïoli en saucière, accompagnez de tranches de baguette grillées.

Bouillabaisse

POUR 6 PERSONNES / PRÉPARATION : 1 H / CUISSON : 1 H 10

1 kg de poissons de roche
4 rascasses en filets
4 tranches de congre
2 saint-pierre en filets
2 grondins en filets
2 poireaux
2 oignons
1 tête d'ail
4 tomates
6 pommes de terre
1 bouquet de persil
thym, laurier
1 c. à café de paprika
1/2 c. à café de safran
1 bol d'aïoli
1 baguette de pain
4 c. à soupe d'huile d'olive

Lavez les poissons, ainsi que les tranches et les filets, que vous conservez dans du papier absorbant.
Épluchez les légumes et l'ail.
Coupez les poissons de roche en 2 ou 3 morceaux selon leur grosseur.
Dans un grand faitout versez l'huile d'olive. Faites revenir les oignons, ajoutez persil, thym, laurier, les gousses d'ail, les tomates concassées, les poireaux coupés en rondelles. Laissez dorer 5 minutes, puis ajoutez les morceaux de poissons de roche. Mouillez avec 3 litres d'eau bouillie, salez, poivrez, saupoudrez de paprika (fort) et laissez cuire 20 minutes à feu doux.
Après cuisson, passez le court-bouillon à la moulinette à légumes, recueillez le bouillon, écrasez les morceaux de poisson, puis passez l'ensemble au chinois.
Versez ce bouillon dans une grande casserole, ajoutez le safran. Mettez-y les pommes de terre (épluchées) à cuire et, 10 minutes après, ajoutez les filets de poisson pour 10 minutes encore.
Versez la bouillabaisse en soupière, accompagnez de l'aïoli, de morceaux de baguette de pain, grillés et frottés d'ail.
La tradition veut qu'on laisse les poissons entiers. Toutefois, en filets la dégustation est plus facile.

CONSEIL
On peut remplacer le bouillon de poisson de roches par une bonne soupe de poisson.

L'INDIEN

Catigot d'anguilles

POUR 4 PERSONNES / PRÉPARATION : 35 MIN / CUISSON : 45 MIN

2 belles anguilles dépecées et épluchées
2 c. à soupe de farine
1 gros oignon
12 petits oignons grelots
4 gousses d'ail
250 g de champignons de Paris
1 tomate pelée
1 branche de céleri
1 clou de girofle
1 écorce d'orange
1 petit piment
1 bouquet de persil
thym, laurier
1 l de Côtes-du-Rhône rouge (Côtes-du-Ventoux ou Rasteau)
3 c. à soupe d'huile d'olive
sel, poivre

Épluchez les oignons, l'ail.
Faites chauffer l'huile d'olive dans une sauteuse, faites-y rissoler l'ail et le gros oignon émincés.
Coupez les anguilles en tronçons de 10 cm, faites-les saisir rapidement dans l'huile, puis posez-les dans une assiette creuse.
Épluchez les champignons, coupez-les en deux.
Dans la sauteuse, mettez les champignons, la branche de céleri coupée en dés, l'écorce d'orange, le clou de girofle, le thym, le laurier, les oignons grelots pelés, la tomate pelée et concassée, l'ail émincé et le piment, salez et poivrez. Versez le vin rouge et laissez 30 minutes.
Reprenez les morceaux d'anguilles, farinez-les légèrement, mettez à cuire dans la sauce, laissez mijoter 15 minutes.
Versez ce catigot d'anguilles dans un plat creux et parsemez de persil haché.

Anguilles frites

POUR 4 PERSONNES / PRÉPARATION : 30 MIN / CUISSON : 10 MIN

4 petites anguilles (elles sont plus tendres), épluchées
2 c. à soupe de farine
1 grand bol de mayonnaise
3 échalotes
2 filets d'anchois
1 c. à soupe bombée de câpres
4 cornichons
1 bouquet de persil plat
20 cl d'huile de friture
sel

Épluchez les échalotes, émincez-les finement.
Coupez les cornichons en petits dés.
Lavez le persil, n'en conservez que les feuilles, mixez-les avec les filets d'anchois.
Mélangez échalotes, cornichons, persil, anchois et câpres, tous éléments que vous ajoutez à la mayonnaise et laissez au frais.
Coupez les anguilles en tronçons de 4 à 5 cm, farinez-les légèrement, faites-les frire dans de l'huile chaude.
Au sortir de la poêle, égouttez-les sur du papier absorbant. Salez.
Servez les anguilles frites avec la sauce rémoulade que vous avez préparée.

Morue en raïto

POUR 6 PERSONNES / PRÉPARATION : 45 MIN + 24 H DE DESSALAGE / CUISSON : 50 MIN

1 kg de morue
8 gousses d'ail
2 oignons
2 échalotes
2 feuilles de laurier
4 branches de persil
4 branches de coriandre fraîche
6 cornichons
1 c. à soupe de câpres
1 boîte de pulpe de tomate
25 cl de vin rouge
15 cl d'huile d'olive
sel, poivre du moulin

Faites dessaler la morue pendant 24 heures, en changeant l'eau plusieurs fois.
Épluchez ail, oignons et échalotes, émincez-les.
Chauffez 5 cl d'huile d'olive dans un poêlon, faites-y revenir ail, échalotes, oignons et laurier.
Lavez et ciselez le persil et la coriandre, ajoutez-les dans le poêlon, ainsi que la pulpe de tomate, mélangez bien.
Mouillez avec le vin, donnez quelques petits bouillons et, lorsque la sauce commence à réduire, versez progressivement 25 cl d'eau tiède. Salez, poivrez.
Coupez les cornichons en lamelles, ajoutez-les, ainsi que les câpres, dans le poêlon. Laissez mijoter doucement entre 20 et 30 minutes pour obtenir une sauce onctueuse et bien liée (la sauce peut être réalisée la veille).
Faites pocher la morue 8 minutes, égouttez-la, épongez-la soigneusement. Coupez-la en 6 parts égales, que vous farinez légèrement avant de les faire frire, dans une sauteuse, dans 10 cl d'huile d'olive. Dégraissez les morceaux frits avec du papier absorbant, puis déposez-les délicatement dans la sauce (éventuellement réchauffée) et laissez cuire encore 10 minutes.

Daube de thon

POUR 4 PERSONNES / PRÉPARATION : 35 MIN / CUISSON : 1 H 15

1 tranche de thon de 1 kg
6 filets d'anchois à l'huile
1 c. à soupe de câpres
1 oignon
4 gousses d'ail
1 clou de girofle
1 bulbe de fenouil
1 kg de tomates
3 poivrons grillés
1 citron
1 bouquet garni
50 cl de vin blanc sec
6 c. à soupe d'huile d'olive
1 c. à café de fleur de sel
1 c. à café de poivre mignonnette

Lavez et brossez le citron, prélevez-en le zeste et coupez le fruit en fines lamelles. Épluchez les gousses d'ail. Dans un petit mixeur, mixez le zeste de citron avec le sel, le poivre et les gousses d'ail.
Chauffez 3 cuillères à soupe d'huile d'olive dans une grande poêle et faites-y revenir le thon, à feu vif, sur les deux faces.
Dans une grande cocotte en fonte, chauffez le reste de l'huile d'olive, faites rissoler un demi-oignon émincé, ajoutez la pâte à base d'ail et de citron et l'autre moitié d'oignon, piquée du clou de girofle. Mouillez avec le vin blanc, donnez un bouillon pour que l'alcool s'évapore.
Déposez le thon dans la cocotte, ajoutez le fenouil taillé en « frites », le bouquet garni, les anchois, les câpres, les poivrons grillés coupés en lanières et les tomates concassées et les lamelles de citron. Ajoutez de l'eau tiède pour que tous les ingrédients soient recouverts. Posez le couvercle sur la cocotte et enfournez à 180 °C (thermostat 6) pour 50 minutes.
Pour vous faciliter la tâche, n'oubliez pas qu'on trouve facilement des poivrons grillés surgelés.

Rôti de baudroie

POUR 6 PERSONNES / PRÉPARATION : 25 MIN / CUISSON : 35 MIN

1 kg de baudroie (ou de lotte), pris dans la queue
150 g de lardons fumés
150 g de tapenade noire
8 filets d'anchois à l'huile
750 g de petits pois
1 botte de navets
4 tomates
2 poireaux
2 oignons
2 têtes d'ail
1 feuille de laurier
romarin
1 tablette de fumet de poisson prêt à l'emploi
10 cl de vin blanc sec
4 c. à soupe d'huile d'olive
sel, poivre

Lavez la lotte, retirez le cartilage central.
Dans le bol d'un mixeur, déposez la tapenade et les filets d'anchois, mixez finement.
Étalez la pâte obtenue sur l'intérieur des 2 filets de lotte, rapprochez-les et ficelez pour constituer un rôti. À l'aide d'un couteau pointu introduisez les lardons dans la chair du poisson.
Épluchez les légumes. Faites revenir les oignons émincés dans 1 cuillère à soupe d'huile d'olive.
Déposez le rôti de lotte dans un plat à four, arrosez-le de 2 cuillères à soupe d'huile d'olive, entourez-le d'ail en chemise (gousses non épluchées) et des oignons sautés. Salez (peu), poivrez, disposez les tomates concassées et quelques brins de romarin. Versez le vin blanc et enfournez à 160 °C (thermostat 5) pour 35 minutes. Tout au long de la cuisson, arrosez régulièrement avec un fumet de poisson (réalisé à partir d'une préparation du commerce).
Dans un faitout, chauffez 2 cuillères à soupe d'huile d'olive, faites-y revenir doucement les carottes coupées en rondelles, les petits pois, les navets coupés en quatre, les poireaux débités en tronçons et la feuille de laurier.
Couvrez d'eau, salez, poivrez et laissez cuire 30 minutes.
Présentez le rôti de baudroie entouré des légumes.

Daurade grillée

POUR 4 PERSONNES / PRÉPARATION : 20 MIN + 24 H DE MACÉRATION / CUISSON : 15 MIN

2 daurades moyennes
2 branches de romarin
2 c. à soupe de vinaigre de Xérès
1 c. à soupe de sauce soja
1 petite branche de verveine
1 petite dosette de pistils de safran
1 jus de citron
6 c. à soupe d'huile d'olive
sel, poivre

La veille, dans un bol, versez le jus de citron, le vinaigre de Xérès, la sauce soja, donnez un tour de moulin à poivre. Mélangez-y l'huile d'olive, plongez-y la branche de verveine et les pistils de safran. Laissez macérer 24 heures.
Faites vider et écailler les daurades par votre poissonnier.
Lavez-les, épongez-les. Badigeonnez-les ensuite d'huile d'olive et posez sur du papier cuisson, dans la lèchefrite, sale, poivrez.
Mettez les daurades à griller 10 minutes, puis retournez-les et laissez encore 5 minutes.
Pendant ce temps, reprenez la sauce, filtrez-la et versez-la dans un bol.
Levez les filets des daurades grillées et servez-les accompagnés de la sauce.

Filets de rougets à la moelle

POUR 4 PERSONNES / PRÉPARATION : 40 MIN / CUISSON : 25 MIN

8 rougets moyens (sinon 4 gros)
la moelle de 4 os
1 c. à soupe de vinaigre balsamique
25 cl de rouge de Provence (ou de Vacqueyras rouge)
50 g de beurre
sel, poivre

Faites écailler et mettre en filets les rougets.
Demandez à votre boucher d'ouvrir les os pour en récupérer la moelle, sinon plongez-les quelques minutes dans de l'eau chaude salée et extrayez la moelle à l'aide d'un couteau pointu.
Faites fondre le beurre dans une poêle, faites-y revenir les filets de rougets, 5 minutes de chaque côté, puis réservez-les.
Déglacez la poêle avec le vinaigre balsamique, faites réduire, ajoutez le vin rouge, laissez réduire à nouveau. Salez, poivrez.
Versez cette sauce sur les filets de rougets, coupez la moelle en autant de rondelles qu'il y a de filets et poêlez-les rapidement sur les 2 faces avant de les poser sur les filets de rougets.

légumes

Barigoule d'artichauts

POUR 4 PERSONNES / PRÉPARATION : 45 MIN / CUISSON : 1 H 30

8 artichauts violets
2 tranches de pain de mie
3 c. à soupe de lait
8 fines tranches de lard fumé
100 g de chair à saucisse
150 g de champignons de Paris
1 bouquet de coriandre fraîche
2 oignons
2 échalotes
noix muscade
3 gousses d'ail
1 œuf

POUR LA BRUNOISE
2 oignons
2 carottes
25 cl de vin blanc
25 cl de bouillon (cube)
thym, laurier
3 c. à soupe d'huile d'olive
sel, poivre

Coupez la queue des artichauts, arrachez les premières feuilles, les plus dures, et coupez les autres à mi-hauteur. À l'aide d'une cuillère ou d'un couteau pointu, videz de son foin le centre de chaque artichaut. Mettez les artichauts à tremper au fur et à mesure dans de l'eau citronnée pour éviter qu'ils noircissent.
Épluchez les champignons, coupez-les en quatre.
Faites tremper dans du lait les tranches de pain de mie (sans la croûte).
Épluchez oignons, ail et échalotes. Lavez et équeutez la coriandre.
Dans le bol d'un mixeur, mettez la chair à saucisse, les champignons, la mie de pain essorée, les oignons, les échalotes, l'ail, la coriandre, noix muscade, sel, poivre et un œuf. Mixez finement.
Égouttez les artichauts, farcissez leur cœur avec la préparation, puis entourez chacun d'une tranche de lard pour qu'elle maintienne la farce à l'intérieur, liez enfin le tout d'une ficelle nouée autour de la queue de l'artichaut.
Épluchez carottes et oignons et coupez-les en brunoise (petits dés).
Chauffez l'huile d'olive dans une grande sauteuse, mettez-y carottes et oignons à rissoler, puis mouiller avec le vin blanc et faites réduire un peu.
Couchez les artichauts dans la sauteuse, parsemez généreusement de thym et de 2 feuilles de laurier concassées. Mouillez avec le bouillon. Couvrez et laissez cuire à petit feu pendant 1 heure 30.
Surveillez de temps en temps qu'il ne manque pas de bouillon.

Gratin d'aubergines

POUR 6 PERSONNES / PRÉPARATION : 35 MIN / CUISSON : 1 H

2 kg d'aubergines
1 kg de tomates
2 oignons blancs
3 gousses d'ail
1 bouquet de basilic
1/2 bouquet de persil
100 g de parmesan râpé
thym
4 c. à soupe d'huile d'olive
sel, poivre

Lavez les aubergines, coupez-leur le pédoncule. Débitez-les dans le sens de la longueur, en tranches de 1,5 cm d'épaisseur.
Huilez légèrement une poêle, faites frire les tranches d'aubergines, puis posez-les sur du papier absorbant.
Plongez les tomates 1 minute dans de l'eau bouillante pour pouvoir les peler, coupez-les grossièrement après avoir retiré les pépins.
Épluchez les oignons blancs et l'ail, émincez-les.
Lavez les herbes.
Chauffez 2 cuillères d'huile d'olive dans une poêle, faites dorer ail et oignons, ajoutez la pulpe de tomates, le persil et le basilic ciselés, émiettez le thym, salez, poivrez. Laissez mijoter 15 minutes en remuant régulièrement.
Huilez un plat allant au four, posez une rangée de tranches d'aubergines, étalez de la sauce tomate, un peu de parmesan râpé, et continuez ainsi jusqu'à épuisement des ingrédients. Terminez en recouvrant le plat de parmesan râpé.
Enfournez à 180 °C (thermostat 6), pour 45 minutes.

Papetons d'aubergines

POUR 6 PERSONNES / PRÉPARATION : 40 MIN / CUISSON : 1 H 30

8 aubergines
4 gousses d'ail
50 cl de coulis de tomates
100 g de gruyère râpé
6 œufs
noix muscade
thym
5 c. à soupe d'huile d'olive
sel, poivre

Pelez les aubergines, coupez-les en dés. Épluchez l'ail.
Chauffez l'huile dans une sauteuse, faites-y revenir l'ail émincé et les dés d'aubergines. Émiettez le thym, salez, poivrez, parsemez de noix muscade. Laissez cuire doucement, en remuant de temps en temps, pendant 45 minutes.
Après cuisson, mixez la pulpe d'aubergines, puis versez-la dans une jatte. Ajoutez les œufs un à un, mélangez bien entre chaque œuf.
Huilez six ramequins individuels, dans lesquels vous versez la préparation, puis enfournez à 180 °C (thermostat 6) pour 35 minutes.
Après cuisson, retournez les ramequins sur un plat à four dont vous aurez huilé le fond, saupoudrez de gruyère râpé et passez ces papetons sous le grill pour les gratiner.
Servez les papetons entourés d'un cordon de coulis de tomates.

CONSEIL
Vous pouvez réaliser la recette avec du caviar d'aubergines tout prêt.

Tian d'aubergines et de courgettes

POUR 6 PERSONNES / PRÉPARATION : 30 MIN / CUISSON : 1 H

3 aubergines (longues et minces)
5 courgettes longues
4 oignons blancs
2 gousses d'ail
2 branches de thym
2 feuilles de laurier
4 c. à soupe d'huile d'olive
sel, poivre

Lavez les courgettes et les aubergines, coupez leurs extrémités puis débitez-les en rondelles. Épluchez les oignons, tranchez-les en fines rondelles. Épluchez l'ail, émincez-le.
Dans un tian (plat en terre à feu), disposez les tranches de légumes en alternant les couleurs, tassez-les bien les unes contre les autres. Intercalez de temps en temps quelques lamelles d'ail. Salez, poivrez, effeuillez le thym, concassez les feuilles de laurier, arrosez d'huile d'olive.
Enfournez à 160 °C (thermostat 5) pour 1 heure.
Vérifiez qu'il ne manque pas de jus de cuisson, sinon complétez avec un peu d'eau chaude.

Cardons aux anchois

POUR 4 PERSONNES / PRÉPARATION : 45 MIN / CUISSON : 1 H 15

1 kg de cardon (1 pied)
3 gousses d'ail
8 filets d'anchois
4 c. à soupe de farine
50 cl de lait
1 jus de citron
3 c. à soupe d'huile d'olive
sel, poivre

Épluchez les cardons, éliminez les feuilles et les fibres trop coriaces. Au fur et à mesure de l'épluchage, débitez les tiges en grands tronçons, trempez-les dans de l'eau citronnée. Égouttez-les.
Faites cuire les tronçons de cardons pendant 30 minutes dans de l'eau bouillante salée additionnée de 2 cuillères à soupe de farine.
Chauffez l'huile d'olive dans une casserole, faites-y fondre les anchois coupés en morceaux et l'ail émincé. Ajoutez la farine restante, tournez, versez le lait, lentement, tout en tournant. Salez (peu), poivrez et, sans cesser de tourner, laissez épaissir cette sauce qui doit avoir la consistance d'une béchamel.
Huilez un plat à four, égouttez les cardons, alignez-les dans le plat, couvrez-les de sauce et enfournez à 180 °C (thermostat 6) pour 30 minutes.

Cardons à la moelle

POUR 4 PERSONNES / PRÉPARATION : 45 MIN / CUISSON : 1 H 15

1 kg de cardons (1 pied)
100 g de moelle de bœuf
2 c. à soupe de farine
1 jus de citron
3 échalotes
15 cl de vin blanc
50 cl de bouillon de bœuf
1 c. à café de poudre de fond de veau
2 branches de persil
sel, poivre

Épluchez les cardons, coupez le pied, ôtez les feuilles et les fibres dures le long des tiges, débitez en tronçons de 8 cm. Au fur et à mesure de l'épluchage, trempez les tronçons dans de l'eau citronnée pour éviter qu'ils ne noircissent. Puis égouttez-les.
Faites cuire les cardons 40 minutes dans de l'eau salée additionnée de 2 cuillères à soupe de farine.
Épluchez les échalotes, émincez-les, faites-les fondre dans le vin blanc, laissez réduire le vin de moitié.
Ajoutez la moelle coupée en morceaux, laissez-la fondre avec les échalotes, mouillez avec le bouillon de bœuf (ou un jus de rôti restant), ajoutez le fond de veau, fouettez la sauce pour qu'elle épaississe un peu.
Ciselez le persil, jetez-le dans la sauce, salez (peu), poivrez.
Huilez un plat à four, posez les cardons dans le fond, nappez de sauce, enfournez à 160 °C (thermostat 5) pour 20 minutes de cuisson.
À la sortie du four, on peut disposer des tranches de moelle crue sur le plat très chaud : la moelle cuit instantanément (facultatif).

Ragoût de fèves

POUR 4 PERSONNES / PRÉPARATION : 1 H / CUISSON : 45 MIN

2 kg de fèves fraîches
8 asperges vertes
1 kg de petits pois
4 carottes (moyennes)
1 tête d'ail
2 oignons
25 cl de vin blanc sec
200 g de lardons fumés
thym, laurier
sarriette, romarin
4 c. à soupe d'huile d'olive
sel, poivre

Écossez les petits pois et les fèves. Pelez les carottes et les asperges, coupez les carottes en dés et ne conservez des asperges que la tête verte et 10 cm de tige.
Plongez les fèves 2 minutes dans de l'eau bouillante, rafraîchissez-les sous un filet d'eau, puis ôtez leur première peau épaisse pour les rendre plus tendres.
Épluchez les oignons, émincez-les. Épluchez l'ail, laissez les gousses entières.
Chauffez l'huile d'olive dans une grande sauteuse, faites-y blondir les oignons, puis l'ail, ajoutez les herbes aromatiques et les lardons. Laissez mijoter 15 minutes.
Mouillez avec le vin, faites-le évaporer 5 minutes, puis ajoutez les carottes, les petits pois, les asperges, les fèves et laissez cuire 20 minutes.
Ce ragoût de fèves fera un délicieux plat unique végétarien ou sera servi en accompagnement de côtelettes d'agneau grillées.

Risotto d'épeautre aux cèpes

POUR 4 PERSONNES / PRÉPARATION : 30 MIN / CUISSON : 1 H 30

500 g d'épeautre
8 cèpes (petits ou moyens)
2 l de bouillon de volaille
25 cl de crème fraîche
100 g de parmesan râpé
1 gousse d'ail
4 branches de persil
1 oignon
50 g de beurre
2 c. à soupe d'huile d'olive
sel, poivre

Rincez l'épeautre. Épluchez l'oignon et l'ail, émincez-les.
Chauffez 1 cuillère d'huile d'olive, faites-y revenir l'oignon émincé, puis jetez-y l'épeautre et tournez de façon que les grains soient enrobés d'huile. Lorsqu'ils sont devenus translucides, mouillez l'épeautre avec le bouillon de volaille, louche par louche : attendez que le bouillon soit absorbé pour en ajouter d'autre.
Pendant que l'épeautre cuit, coupez le bout terreux des cèpes, brossez-les, coupez-les en fines lamelles. Faites-les sauter dans l'autre cuillère d'huile d'olive, chaude, parsemez d'ail et de persil ciselé.
Lorsque les grains d'épeautre sont bien gonflés, ajoutez le beurre, puis la crème et le parmesan. Mélangez bien.
Servez dans un légumier et disposez les cèpes persillés sur le dessus du risotto.

Brouillade aux cèpes

POUR 4 PERSONNES / PRÉPARATION : 20 MIN / CUISSON : 20 MIN

10 œufs
3 c. à soupe de crème fraîche liquide
500 g de cèpes frais (ou 50 g de cèpes séchés)
50 g de beurre
sel, poivre

Épluchez les cèpes, coupez leur bout terreux, brossez-les, tranchez-les en fines lamelles.
Chauffez le beurre dans une grande poêle, faites-y revenir les cèpes, salez, poivrez.
Cassez les œufs dans une grande jatte, piquez les jaunes pour qu'ils éclatent, mais ne battez pas en omelette. Ajoutez la crème liquide, salez, poivrez, puis versez le contenu dans la poêle, sur les cèpes.
À l'aide d'une cuillère en bois, tournez doucement, en formant des 8. La brouillade doit rester crémeuse.
On pourra la servir dans des petits plats individuels, accompagnée de tranches de pain grillées et aillées.

Ratatouille

POUR 6 PERSONNES / PRÉPARATION : 40 MIN / CUISSON : 1 H

1 kg de tomates
6 courgettes
3 aubergines
2 oignons blancs
3 poivrons (1 jaune, 1 rouge et 1 vert)
4 gousses d'ail
thym, laurier
4 c. à soupe d'huile d'olive
sel, poivre

Lavez, coupez en deux et épépinez les poivrons. Faites-les griller sous le gril de votre four et et pelez-les.
Pendant que les poivrons grillent, lavez courgettes et aubergines, coupez leurs extrémités, puis débitez-les en gros dés. Épluchez les oignons et l'ail, émincez-les. Pelez et épépinez les tomates, coupez-les grossièrement.
Dans une sauteuse, chauffez 2 cuillères à soupe d'huile d'olive, faites blondir les oignons et l'ail émincés avec le thym et le laurier. Ajoutez les tomates et les poivrons grillés coupés en lanières, laissez cuire jusqu'à obtenir un coulis épais.
Pendant ce temps, dans une autre casserole, chauffez le reste d'huile d'olive et faites revenir les courgettes, puis les aubergines, juste pour qu'elles soient dorées.
Ajoutez-les, ensuite, dans le coulis de tomates et laisser cuire encore 30 minutes en vérifiant l'assaisonnement.

Bohémienne

POUR 6 PERSONNES / PRÉPARATION : 20 MIN / CUISSON : 1 H

1 kg d'aubergines
500 g de tomates
4 gousses d'ail
1 branche de sarriette
quelques feuilles de sauge
4 c. à soupe d'huile d'olive
sel, poivre

Débarrassez les aubergines de leur pédoncule, puis coupez-les en gros dés.
Pelez et épépinez les tomates, coupez-les grossièrement.
Épluchez l'ail, émincez-le.
Dans un faitout, chauffez l'huile d'olive et faites revenir l'ail. Jetez-y les tomates, laissez-les fondre en « compote », salez, poivrez. Quand cet état est atteint, ajoutez les dés d'aubergines, la sarriette et la sauge, mélangez. Laissez cuire 45 minutes.
La bohémienne s'apprécie tout autant chaude que froide.

Bagna caudo

POUR 6 PERSONNES / PRÉPARATION : 45 MIN / CUISSON : 35 MIN

2 branches de céleri
2 bottes de petits oignons blancs
6 petits artichauts violets
6 pommes de terre
1 botte de radis
1 radis noir
20 anchois au sel
croûtons de pain aillés
8 gousses d'ail
25 cl d'huile d'olive
poivre

Épluchez les branches de céleri, coupez-les en tronçons de 10 cm.
Épluchez les oignons blancs, coupez-les en deux.
Coupez la queue des artichauts violets, coupez-les en deux, ôtez le foin, plongez-les dans de l'eau bouillante salée pendant 10 minutes.
Faites cuire les pommes de terre 20 minutes avec leur peau, puis épluchez-les.
Lavez et épluchez les radis. Lavez le radis noir, coupez-le en très fines rondelles.
Faites dessaler les anchois, rincez-les bien sous l'eau froide, mettez-les en filets.
Présentez tous les légumes sur un grand plat.
Versez l'huile d'olive dans un poêlon que vous mettez sur le feu, ajoutez les filets d'anchois et l'ail, tournez pour qu'ils fondent et se mélangent à l'huile.
Au moment de manger, installez un réchaud allumé au centre de la table et posez dessus le poêlon.
Chaque convive plonge dans la bagna caudo, un radis, une tranche de radis noir, un morceau de céleri ou de pomme de terre, un croûton de pain ou des feuilles d'artichauts.

STAUB
STAUB

desserts et douceurs

Tropézienne

POUR 6 À 8 PERSONNES / PRÉPARATION : 40 MIN + 3 H DE REPOS / CUISSON : 25 MIN

POUR LE BISCUIT
350 g de farine
1 sachet de levure chimique
70 g de beurre mou
2 c. à soupe d'eau de fleur d'oranger
10 cl de lait
1 œuf
50 g de sucre en poudre
2 c. à soupe de sucre cristallisé
2 c. à soupe de sucre candi (gros grain)

POUR LA CRÈME
35 cl de lait
1 gousse de vanille
4 jaunes d'œufs
150 g de sucre en poudre
30 g de farine
60 g de beurre mou
20 cl de crème liquide (entière)

Le biscuit

Mélangez la farine et la levure dans un saladier.
Dans une casserole, faites fondre le beurre dans le lait chaud aromatisé à l'eau de fleur d'oranger. Versez ce mélange sur la farine, ajoutez l'œuf et le sucre en poudre, mélangez bien pour obtenir une pâte homogène. Laissez-la reposer 2 heures à température ambiante.
Prenez un moule à manqué, versez-y la pâte, saupoudrez de sucre cristallisé et laissez reposer encore 1 heure.
Préchauffez le four à 180 °C (thermostat 6) 15 minutes avant cuisson, puis mettez le gâteau à cuire 25 minutes.
À la sortie du four, laissez-le refroidir complètement.

La crème

Versez le lait dans une casserole, ajoutez la gousse de vanille, portez à petite ébullition.
Battez les jaunes d'œufs et le sucre en poudre, ajoutez la farine en la tamisant, mélangez. Versez doucement le lait chaud sur ce mélange, puis reversez dans la casserole et laissez épaissir la crème, en tournant sans cesse pour éviter la formation de grumeaux. Laissez ensuite la crème refroidir complètement.
Battez la crème liquide en chantilly et incorporez-la délicatement à la crème pâtissière.
Ouvrez le gâteau en deux dans le sens de l'épaisseur, garnissez-le de crème, reposez le chapeau et saupoudrez de sucre candi.

Oreillettes

POUR 60 OREILLETTES / PRÉPARATION : 30 MIN + 4 H DE REPOS / CUISSON : 40 MIN

500 g de farine
4 jaunes d'œufs
100 g de beurre fondu
1 jus d'orange
4 c. à soupe d'eau de fleur d'oranger
1 zeste de citron
5 cl de lait
100 g de sucre en poudre
100 g de sucre glace
1 l d'huile de friture

Dans une grande jatte, versez la farine, faites un puits, déposez au centre le zeste de citron, les jaunes d'œufs, le beurre fondu, le jus d'orange, le verre de lait, le sucre et l'eau de fleur d'oranger. Pétrissez la pâte pour qu'elle forme une boule homogène. Laissez reposer 4 heures au frais.
Farinez le plan de travail. Coupez la pâte en quatre parts. Étalez chaque partie de pâte le plus finement possible. Découpez des triangles plus ou moins réguliers, pratiquez une incision au centre.
Chauffez l'huile dans une grande sauteuse et faites frire les oreillettes 1 minute de chaque côté. Mettez-les à égoutter sur du papier absorbant, puis parsemez-les de sucre glace.

Madeleines au miel de lavande

POUR 25 À 30 PIÈCES / PRÉPARATION : 30 MIN / CUISSON : 20 MIN

150 g de beurre
200 g de farine
3 c. à soupe de miel de lavande
1 zeste de citron râpé
3 œufs
1/2 sachet de levure chimique
1 pincée de sel

Mélangez la farine et la levure.
Faites fondre le beurre.
Dans le bol d'un mixeur, cassez les œufs, ajoutez le zeste de citron, le sel et le miel. Mixez jusqu'à ce que le mélange gonfle et blanchisse. Versez-le alors dans un saladier.
Tamisez dessus un peu de farine, ajoutez un peu de beurre. Mélangez bien à l'aide d'une cuillère en bois et recommencez l'opération jusqu'à épuisement des ingrédients.
Préchauffez le four à 210 °C (thermostat 7).
Beurrez (ou huilez) les moules à madeleines. Versez un peu de préparation dans chaque empreinte, en ne remplissant qu'à moitié.
Enfournez et laissez cuire 20 minutes. Surveillez attentivement la cuisson, car, lorsque les madeleines sont dorées sur le dessus, elles sont plus foncées en dessous. Piquez-en une avec la pointe d'une aiguille, si elle ressort sèche, la madeleine est cuite.
Démoulez dès la sortie du four.

Frangipane

POUR 6 À 8 PERSONNES / PRÉPARATION : 45 MIN / CUISSON : 2 H

2 rouleaux de pâte feuilletée (au beurre)
1 œuf pour dorer

POUR LA CRÈME PÂTISSIÈRE
50 cl de lait
1 gousse de vanille
3 jaunes d'œufs
75 g de sucre
1 c. à café de maïzena

POUR LA CRÈME D'AMANDES
125 g de beurre
125 g de poudre d'amandes
125 g de sucre glace
3 œufs
1 c. à soupe de maïzena
1 c. à soupe de rhum

La crème pâtissière

Faites bouillir le lait avec la gousse de vanille ouverte. Dans une jatte, mettez les jaunes d'œufs, la maïzena, le sucre, battez l'ensemble jusqu'à ce que le mélange blanchisse, puis versez le lait. Reversez le mélange dans la casserole, faites cuire à feu doux, en tournant sans cesse avec une cuillère en bois jusqu'à ce que la crème épaississe. Retirez la gousse de vanille et laissez reposer.

La crème d'amandes

Faites ramollir le beurre 1 minute au micro-ondes. Mettez-le ensuite dans une jatte, avec le sucre glace et les amandes en poudre, mélangez bien. Ajoutez les œufs, un par un. Enfin saupoudrez la maïzena et versez le rhum, tournez pour obtenir un mélange homogène.
Préchauffez le four à 240 °C (thermostat 8).
Rassemblez les 2 préparations : incorporez la crème pâtissière, cuillère par cuillère, dans la crème d'amandes.
Huilez la plaque du four. Posez dessus un premier disque de pâte feuilletée. Étalez la préparation aux amandes jusqu'à 4 cm du bord de la pâte. Mouillez le pourtour avec un peu d'eau, puis posez le second disque de pâte feuilletée. Soudez les bords en pinçant avec les doigts.
Battez l'œuf avec un peu d'eau froide et, à l'aide d'un pinceau, badigeonnez-en le dessus du gâteau.
Éventuellement, dessinez des figures avec la pointe d'un couteau.
Enfournez à mi-hauteur. Laissez cuire 15 minutes puis baissez le thermostat à 6 et finissez la cuisson pendant 45 à 50 minutes.

Sablés aux olives noires

POUR 25 SABLÉS / PRÉPARATION : 20 MIN + 1 H DE REPOS / CUISSON : 20 MIN

250 g de farine
15 cl d'huile d'olive
20 olives noires dénoyautées
1 pincée de sel
poivre
romarin

Épongez les olives dans du papier absorbant. Mixez-les finement.
Dans une jatte, versez la farine, faites un puits, versez l'huile d'olive, la pâte d'olives, le sel (peu), poivrez, égrenez du romarin. Mélangez pour former une boule homogène.
Laissez reposer pendant 1 heure au frais.
Farinez le plan de travail, étalez la pâte, découpez-la avec un emporte-pièce, déposez vos sablés sur la plaque du four garnie d'une feuille de papier cuisson.

Nougat glacé

POUR 6 PERSONNES / PRÉPARATION : 30 MIN / CUISSON : 20 MIN

50 cl de lait
5 jaunes d'œufs
1 zeste d'orange
50 cl de crème fleurette
40 g de sucre en poudre
5 c. à soupe de miel (lavande, mille fleurs ou acacia)
50 g de raisins blonds
1/2 c. à café de rhum (facultatif)
50 g de pignons de pins
50 g d'amandes effilées
50 g de noix
4 bâtonnets d'écorces d'orange
4 cerises confites
1 morceau d'angélique confite

Dans une poêle antiadhésive, faites griller les pignons de pin, les amandes et les noix concassées, juste le temps que les fruits blondissent.
Faites gonfler les raisins dans un peu de thé chaud (éventuellement parfumé de quelques gouttes de rhum).
Chauffez le lait avec le miel et le zeste d'orange.
Séparez les œufs, mettez les jaunes dans une jatte avec le sucre et fouettez-les jusqu'à ce que le mélange blanchisse.
Versez dessus le lait chaud, puis reversez dans la casserole et faites cuire doucement, en tournant sans cesse, jusqu'à épaississement de la crème anglaise au miel.
Montez la crème fleurette en chantilly.
Coupez les écorces d'orange, les cerises, l'angélique en petits dés. Égouttez les raisins. Mélangez tous les fruits à la crème cuite, laissez refroidir.
Mêlez délicatement la crème anglaise + fruits confits avec la chantilly.
Faites geler dans une sorbetière ou versez la préparation dans un moule à cake et mettez au freezer pour 8 heures.
Les blancs d'œufs non utilisés dans cette recette peuvent servir à confectionner des meringues, qui accompagneront très bien ce nougat glacé.

Blanc-manger

POUR 6 PERSONNES / PRÉPARATION : 20 MIN + 4 H AU FRAIS / CUISSON : 5 MIN

200 g de poudre d'amandes
50 cl de lait
8 feuilles de gélatine
150 g de sucre
2 c. à soupe de sucre glace
50 cl de crème fleurette (ou de crème épaisse + 2 c. à soupe de lait)

Faites ramollir les feuilles de gélatine dans de l'eau froide.
Chauffez ensemble le lait et le sucre jusqu'à ce le sucre ait fondu. Essorez les feuilles de gélatine entre les paumes de vos mains, plongez-les dans le lait chaud et mélangez pour qu'elles se dissolvent. Ajoutez la poudre d'amandes, mélangez bien, puis laissez refroidir.
Montez la crème fleurette en chantilly, avec le sucre glace.
Lorsque, sous l'action de la gélatine, le lait commence à prendre, qu'il s'épaissit et « tremblote » quand on bouge le récipient, mélangez la chantilly avec le lait d'amandes.
Versez la préparation dans un moule à manqué ou en ramequins individuels et mettez au froid pour plusieurs heures.

Sablés à l'épeautre

POUR 25 À 30 SABLÉS / PRÉPARATION : 15 MIN + 1 H DE REPOS / CUISSON : 20 MIN

100 g de farine blanche tamisée
200 g de farine d'épeautre
125 g de beurre mou
120 g de sucre en poudre
2 sachets de sucre vanillé
12,5 cl de lait
1 œuf
2 jaunes d'œufs
1 pincée de sel

Versez les farines, le sucre et le sucre vanillé dans une terrine, mélangez bien l'ensemble. Creusez un puits au centre de la farine, déposez le beurre mou, le sel, versez le lait, 1 œuf et 1 jaune. Travaillez la pâte du bout des doigts, formez une boule, que vous couvrez d'un torchon et mettez à reposer 1 heure au frais.
Farinez le plan de travail, étalez la pâte sur une épaisseur régulière de 1 cm. À l'aide d'un emporte-pièce (ou d'un petit verre), découpez les sablés dans la pâte, posez-les sur la plaque du four recouverte d'un papier cuisson.
Battez le jaune d'œuf restant avec un peu d'eau et, à l'aide d'un pinceau, badigeonnez-en le dessus de chaque sablé.
Vous pouvez aussi, en vous servant de la pointe d'un couteau, y dessiner des croisillons.
Enfournez à 210 °C (thermostat 7) pour 20 minutes.
Surveillez bien la cuisson, les sablés doivent rester dorés.

Enfournez à 210 °C (thermostat 7) pour 20 minutes.

Sorbet à la figue

POUR 50 CL / PRÉPARATION : 20 MIN / CUISSON : 20 MIN + LE TEMPS EN SORBETIÈRE

500 g de figues violettes
4 c. à soupe de sucre en poudre
3 c. à soupe d'eau

Faites bouillir l'eau et le sucre dans une casserole jusqu'à obtenir un sirop.
Coupez le pédoncule des figues, puis coupez-les en quatre. Plongez-les dans le sirop. Portez à ébullition et laissez bouillir 5 minutes.
Mixez la compote de figues obtenue. Si le croquant des pépins ne vous dérange pas, gardez la purée en l'état, sinon passez-la au tamis. Versez-la dans la sorbetière et procédez selon les indications de votre appareil

Sorbet aux coings

POUR 50 CL / PRÉPARATION : 30 MIN / CUISSON : 1 H + LE TEMPS EN SORBETIÈRE

500 g de coings
1 l d'eau
200 g de sucre
1 jus de citron

Lavez les coings, épluchez-les, coupez-les en quatre, ôtez les cœurs et les pépins, que vous conservez et nouez dans un carré de mousseline.
Dans un faitout, chauffez l'eau et délayez le sucre. Lorsque le sucre est fondu, ajoutez les quartiers de coings dans le sirop, le jus de citron, ainsi que le petit baluchon de mousseline.
Laissez cuire environ 1 heure. Arrêtez la cuisson quand les coings deviennent roses, laissez-les refroidir dans le sirop.
Retirez la mousseline et mixez les coings.
Mettez la purée obtenue à tourner dans la sorbetière (le temps indiqué pour votre appareil).

Œufs à la neige et fleur d'oranger

POUR 6 À 8 PERSONNES / PRÉPARATION : 1 H / CUISSON : 45 MIN

1,5 l de lait
1 gousse de vanille
12 œufs
100 g de sucre
1 pincée de sel
3 c. à soupe de sucre glace
1 c. à café de maïzena
2 c. à soupe de fleur d'oranger

Cassez les œufs, mettez les blancs dans un saladier, les jaunes dans une grande jatte.
Versez le sucre et la maïzena sur les jaunes. Fouettez l'ensemble plusieurs minutes, jusqu'à ce qu'il mousse et blanchisse.
Faites bouillir le lait avec la gousse de vanille fendue, dans une large casserole à bords bas (une sauteuse).
Saupoudrez le sel sur les blancs d'œufs et montez-les en neige ferme. Tamisez dessus le sucre glace et continuez à fouetter pour qu'ils deviennent très fermes.
Laissez la casserole du lait à feu doux, ôtez la gousse de vanille et mettez-la de côté.
Prenez une cuillère de blanc d'œuf, posez-la sur le lait chaud (vous pouvez cuire plusieurs cuillerées ensemble, mais ne les superposez pas). Dès que le blanc d'œuf gonfle (2 ou 3 minutes), retournez-le et laissez cuire de l'autre côté (1 minute). Puis, à l'aide d'une écumoire, sortez les blancs cuits, un par un, déposez-les sur du papier absorbant.
Lorsque tous les blancs sont cuits, versez un peu de lait chaud sur les jaunes, mélangez et reversez ce mélange dans la casserole du lait. Remettez aussi la gousse de vanille dans le lait, laissez cuire à feu doux, en tournant régulièrement, jusqu'à ce que la crème épaississe. En fin de cuisson ajoutez la fleur d'oranger.
Versez la crème anglaise dans un grand compotier, posez dessus les blancs en neige et laissez refroidir avant de servir.

Soupe de fraise au basilic

POUR 4 PERSONNES / PRÉPARATION : 20 MIN

1 kg de fraises (gariguettes)
3 c. à soupe de miel de fleur d'oranger (ou de lavande)
1 jus de citron
1 bouquet de basilic
poivre noir du moulin

Lavez et équeutez les fraises. Prenez-en la moitié et coupez-les en quatre, mettez-les dans un saladier, arrosez d'un jus de citron.
Mettez l'autre moitié des fraises dans le bol d'un mixeur, mixez finement, puis passez au chinois. Récupérez le jus dans un grand bol et mélangez-le avec le miel.
Versez le mélange jus + miel et les fraises coupées dans un compotier, donnez quelques tours de moulin à poivre et gardez bien au frais. Au moment de servir, ciselez les feuilles de basilic sur votre soupe de fraise.

Soupe de pêche à la verveine

POUR 4 PERSONNES / PRÉPARATION : 30 MIN + 4 H AU FRAIS / CUISSON : 40 MIN

6 pêches
200 g de sucre
20 feuilles de verveine

Rincez les pêches.
Chauffez 1,5 litre d'eau dans une casserole, faites-y pocher les pêches et 10 feuilles de verveine pendant 10 minutes. L'eau devient légèrement rosée. Sortez les pêches, pelez-les et coupez-les en deux. Réservez.
Ajoutez le sucre dans l'eau de cuisson des pêches et maintenez sur le feu jusqu'à ce que le sucre ait fondu. Laissez refroidir ce sirop.
Dans un grand compotier déposez les pêches, versez dessus le sirop filtré. Mettez au frais 4 heures.
Au moment de servir, disposez les 10 feuilles de verveine fraîche restantes à la surface de la soupe de pêche.

Figues rôties

POUR 4 PERSONNES / PRÉPARATION : 15 MIN / CUISSON : 20 MIN

12 figues
4 c. à soupe de miel de lavande (ou de châtaignier)
cannelle en poudre
quatre-épices
1 jus d'orange
poivre du moulin

Lavez les figues, fendez-les en quatre à partir de la queue, mais sans les séparer complètement. Rangez-les dans un plat à four, de façon à ce qu'elles se tiennent debout les unes contre les autres.
Préchauffez le four à 180 °C (thermostat 6).
Délayez le miel dans le jus d'orange, arrosez-en les figues. Puis saupoudrez-les de cannelle en poudre, de quatre-épices, de poivre du moulin, et enfournez, pour 20 minutes. Arrosez les figues pendant la cuisson.
À la sortie du four, disposez les figues dans un compotier. Mettez le jus de cuisson dans une petite casserole, donnez-lui quelques bouillons, juste pour qu'il épaississe et devienne sirupeux. Versez-le, enfin, sur les figues et servez chaud.

Tarte au citron

POUR 6 PERSONNES / PRÉPARATION : 30 MIN / CUISSON : 25 MIN

1 rouleau de pâte brisée (ou sablée)
5 citrons non traités
4 œufs
1 c. à café de maïzena
200 g de beurre
150 g de sucre en poudre
10 cl de sirop de sucre de canne

Lavez les citrons à l'eau chaude. Pressez-en 2. Coupez les extrémités de 2 autres, débitez-les en quartiers, mettez-les dans le bol d'un mixeur après avoir ôté les pépins et réduisez-les en purée.
Cassez les œufs et séparez les jaunes des blancs.
Dans un saladier, battez les jaunes d'œufs avec le sucre et la maïzena, jusqu'à ce que le mélange blanchisse. Versez dessus le jus de citron, ainsi que la purée de citron.
Mettez cette préparation dans une casserole, sur un feu doux et, tout en tournant, incorporez le beurre froid par petits morceaux : n'en rajoutez que lorsque la crème de citron a absorbé les morceaux précédents.
Déroulez la pâte brisée (ou sablée), étalez-la dans un moule, piquez le fond de tarte. Enfournez à 180 °C (thermostat 6) et faites cuite 25 minutes « à sec ».
Pendant ce temps, chauffez le sirop de canne, coupez le dernier citron en fines lamelles que vous mettez à caraméliser dans le sirop. Lorsqu'elles le sont, péchez-les à l'aide d'une fourchette et réservez.
Sortez le fond de tarte du four, garnissez-le avec la crème de citron et laissez refroidir.
Posez la tarte sur un plat de service, disposez les tranches de citron caramélisées sur le dessus de la tarte.
Vous pouvez aussi utiliser les blancs d'œufs en les battant en neige ferme, après quoi vous les étalez sur la crème de citron et faites légèrement griller le dessus pour meringuer la tarte.

Tarte aux raisins

POUR 6 PERSONNES / PRÉPARATION : 30 MIN / CUISSON : 35 MIN

1 rouleau de pâte brisée
500 g de raisin (muscat blanc)
200 g de poudre d'amandes
2 jaunes d'œufs
2 c. à soupe de crème fraîche
50 g de sucre semoule
1 c. à soupe de sucre cristallisé

Étalez la pâte brisée, disposez-la dans le moule à tarte, piquez-la et enfournez à 180 °C (thermostat 6) pour 15 minutes, juste le temps qu'elle dessèche.
Lavez le raisin, égrenez-le.
Dans une jatte, battez ensemble les œufs, la poudre d'amandes, la crème fraîche et le sucre.
Ressortez le fond de tarte du four, versez-y la préparation et disposez les raisins régulièrement.
Enfournez à nouveau pour 20 minutes de cuisson.
Démoulez la tarte sitôt sortie du four et laissez-la refroidir.
Au moment de servir, saupoudrez-la de sucre cristallisé.

Tarte aux pignons

POUR 6 PERSONNES / PRÉPARATION : 40 MIN / CUISSON : 40 MIN

1 rouleau de pâte brisée
100 g de sucre en poudre
100 g de poudre d'amandes
100 g de beurre
3 œufs
100 g de fruits confits en petits dés
100 g de pignons de pin
50 g de raisins blonds
2 c. à soupe de rhum (ou de thé, pour une tarte sans alcool)

Rassemblez les raisins et les fruits confits dans un bol, arrosez-les de rhum ou de thé.
Griller rapidement les pignons de pin dans une poêle antiadhésive.
Faites ramollir le beurre 1 minute au micro-ondes.
Dans une grande jatte, mélangez la poudre d'amandes avec le sucre, d'abord, puis avec le beurre.
Cassez les œufs, ajoutez-les un par un dans le mélange, fouettez énergiquement. Ajoutez enfin les raisins et les fruits confits, mélangez à nouveau.
Étalez la pâte brisée, disposez-la dans un moule à tarte, piquez le fond et enfournez à 180 °C (thermostat 6) pour 15 minutes, le temps de dessécher un peu la pâte.
Sortez le fond de tarte du four, versez-y la préparation, éparpillez les pignons de pin et remettez au four pour 25 minutes.
Laissez refroidir avant de démouler.

Tarte aux noix

POUR 6 PERSONNES / PRÉPARATION : 30 MIN / CUISSON : 35 MIN

1 rouleau de pâte sablée
250 g de crème fraîche épaisse
100 g de sucre en poudre
100 g de poudre de noix
10 cerneaux de noix
1 c. à café de cannelle
1 c. à soupe de sucre glace

Étalez la pâte sablée, disposez-la dans un moule à tarte, mettez au réfrigérateur le temps de la préparation.
Versez la crème fraîche, la poudre de noix, la cannelle et le sucre en poudre dans une jatte, mélangez bien.
Sortez le moule à tarte du réfrigérateur, garnissez avec la préparation et enfournez à 210 °C (thermostat 7). Laissez cuire 35 minutes.
À la sortie du four, disposez les cerneaux de noix sur la tarte et saupoudrez de sucre glace.
La poudre de noix peut s'obtenir en mixant 100 g de cerneaux.

Noël en Provence

Le « souper maigre »

Sur la table, on trouve trois nappes blanches (la trinité), celle du dessus étant bien sûr la plus belle, damassée et brodée. Puis ce sont sept plats qui symbolisent les sept plaies du Christ ou les sept douleurs de la Vierge : aïoli (recette page 84), morue en raïto (recette page 100), brandade (recette page 84), anguilles (recettes pages 96 et 97), gratins d'épinards ou de cardes (recettes pages 116 et 118), tourtes de bettes ou de courge, mais en tout cas pas de viande. L'ensemble est arrosé de vin du terroir.

Les treize desserts

Pour le dessert, on sort le muscat de Beaumes-de-Venise. Les treize desserts sont visibles, et même exposés, dès le début de la soirée. Ils accueillent les invités et décorent la maison. Selon les régions, ce ne sont pas toujours les mêmes, l'important étant qu'ils soient treize (pour représenter le Christ et ses deouze apôtres) :
des tartes surtout, à l'orange, au citron, aux pommes ou encore au potiron (recette ci-contre), et l'incontournable pompe à l'huile ; le nougat blanc ; le nougat noir ; les amandes ; les figues ; les noix ou les noisettes , les raisins ; les pruneaux ou les dattes ; les pommes ; les oranges ; le melon vert conservé dans le grenier ; les biscuits : navettes, oreillettes, brassado ; la confiserie : calissons, fruits confits, caramels, massepains, pâte de coing, pâte d'amande, pâte de pomme… Et tous se trouvent à profusion pour rappeler, s'il en était besoin, que la Provence est un pays béni des dieux,
à l'image de l'Éden !

Les quatre mendiants

Si l'habitude a depuis longtemps été prise de désigner les fruits secs par cette appellation, il faut savoir que c'est en Provence que la tradition est née.
Les « mendiants » représentent les quatre ordres religieux mendiants, par analogie avec la couleur de leur habit :
- les figues sèches évoquent la robe grise des Franciscains ;
- les raisins secs, celle, foncée, des Augustins ;
- les amandes, la robe écrue des Dominicains ;
- le quatrième mendiant est, au choix, la noix ou la noisette, car toutes deux sont brunes comme la robe des Carmes aux pieds nus.

Sur la table de Noël, les fruits secs sont présentés dans des plats en terre vernissée ou des compotiers selon la richesse de la maison, mais toujours dans leur coque (ci-contre).

Tarte à la courge

POUR 6 PERSONNES / PRÉPARATION : 40 MIN / CUISSON : 30 MIN

1 rouleau de pâte brisée (de préférence sucrée)
500 g de courge (potiron ou potimarron)
100 g de poudre de noix
100 g de raisins blonds
3 c. à soupe de miel
3 œufs
1 c. à soupe de liqueur de thym (farigoule) ou d'eau de fleur d'oranger
10 g de beurre

Épluchez la courge, retirez peau et pépins, coupez la chair en gros dés, mettez-les dans une casserole avec un peu d'eau et le beurre et faites cuire, à couvert, 30 minutes. (Vous pouvez aussi utiliser le micro-ondes, puissance maxi, pendant 10 minutes, en remuant au milieu de la cuisson.) Vérifiez la cuisson, qui varie selon la puissance du four, en piquant la chair de courge avec la pointe d'un couteau.
Dans un grand saladier, versez la courge cuite, la poudre de noix, les raisins, les œufs, la liqueur ou l'eau de fleur d'oranger et le miel. Mélangez l'ensemble.
Étalez la pâte, posez-la dans le moule, versez le mélange et enfournez à 210 °C (thermostat 7) pour 30 minutes.

annexes

Table des recettes